美輪明宏

天声美語

講談社

天使からのことづて

今の時代、みなさんは必死で信じられるものを探していらっしゃいます。

親、学校の先生、テレビや雑誌などでコメントしている有識者といわれる人々。

誰の意見を聞いても一面的で、目からウロコで、納得できる答えは見つからない。

心に染み入る答えも見つからない。

だからなおさら躍起になって新たな答えを探し求める。

その結果、オウム真理教や法の華、ライフスペースなどと、得体の知れない新興宗教に、
心の拠り所があると思いこんでしまう。

「美輪さんの言葉は、納得できるところがある」

最近、そんな声をよくうかがいます。有難いことです。

テレビや雑誌、講演会などの発言をお聴きになって、そう思ってくださるんでしょうか。

また、生きていくうえで大切なのは常識ではなく真理を信じること、いつの時代でも本物の愛情や美しさが必ず勝利すると信じているからでしょうか。

私はこれまでずっと血を流すような体験を積み重ねてきたからこそ、真理に巡りあうことができたのかもしれません。

それにもう一つは、私の話をいくら信じても、お金はかかりません。

新興宗教のように財産もとらない、身包《みぐる》みも剥《は》がない。

インチキ占い師みたいに一件につき何十万円も払わせたりもしない。

だって、私には教祖なぞという粉飾した言葉の肩書はないのですから。

ただ私にあるのは大切な舞台です。

そのために芝居や歌の稽古もしなければなりません。時間がありません。
年中、テレビに出たり、講演会を開いたりはできないのです。
そうやって考えますと、皆さんに私の意見を伝える手段は本しかありません。
本でしたら時間も場所も選びません。
いつでもページを開いて、何度でも同じ言葉を噛《か》みしめ消化することができる。
自由自在に私の言葉があなたにお届けできるのです。
ですから、この本をあなたの部屋に置いておいていただきたいのです。
いつ何時でもお困りになったとき、不安になったとき、
心のビタミン剤として、ページを開いてみてくださいますか。
あなたの心に何なりかの効果をもたらす〝読む常備薬〟として……。

目次

第一章

麗人への条件

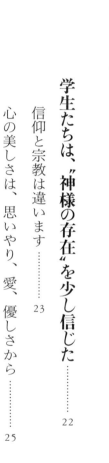

第二章 洗練された美意識

第三章

俯瞰で見た日本

第四章 お洒落な知性

第五章

美しく生きる

特別付録　美へ誘う「美輪リスト」

装幀写真———御堂義乗
本文写真———御堂義乗／4p、33p、36p、54－55p、158－159p、
169p、172p
蜷川実花／27p、110－111p、137p、180p、188p、
198－199p、242p
坂本正郁／81p、140p
題字————鴨下芳文
写真提供———㈱REED
中原蒼二
協力————弥生美術館
構成協力———越智良子
本文デザイン—スタジオ・ギブ（中川まり）

天声美語

MIWA

UN DESTINO DE AMOR Y LENTEJUELAS

Le Monde

ARTS ET SPECTACLES

LE LÉZARD NOIR OPÈRE DANS LA NUIT DU JAPON

Deux rangs de perles pour Akihiro Miwa

Elle brûle son amant

Elle aime Piaf

« RUSTY JAMES », DE FRANCIS COPPOLA

Sensation maximum

Miwa

Akihiro Miwa has been one of Japan's most-loved actresses and singers for 25 years. Miwa—Yukio Mishima's protege—recently stormed the Tokyo stage in the classic Black Widow. Miwa is a man. MICHAEL ORLANDO YACCARINO explores the lifes and loves of Japan's perennial gay sweetheart.

Miwa—whose French-language recordings hit the charts in France—is sometimes known as the Edith Piaf of Tokyo.

The Orient

PHASE

第一章

麗人への条件

学生たちは、〝神様の存在〟を少し信じた

一九九九年十一月一日。朝から強い雨が降っている。にもかかわらず、青山学院大学のキャンパス内は文化祭の活気があふれている。とくに九号館前は黒山の人だかり。今日は、青山美意識向上特別委員会が主催する美輪明宏講演会があるのだ。タイトルは、「人生を美しく生きるために」。

十二時の開始を前に、定員五百名の大教室には、定員オーバーで立ち見も出るくらいの人が入っている。大きな拍手と共に登場した美輪さんは、鮮やかな紫のドレスに美しい光沢を放つ真珠をあしらった装いで、外の雨を忘れさせてしまうほどの華やかさ。「こんにちは。白鳥麗子でございます」という挨拶《あいさつ》にドッと会場が沸き、それまで圧倒的な存在感に息をのんでいた学生たちが一気に和《なご》む。独特のリズム、ヴェルヴェットのような美輪さんの声に観客は次第に吸い込まれていく。

(『VOCE』二〇〇〇年一月号特別編より)

信仰と宗教は違います

女子大生　「美輪さんの『ほほえみの首飾り』を読ませていただきました。美輪さんがとても信仰心の厚い方だということを感じました。でも、私は信仰心というか、神様というものが信じられません。何故かというと、最近友人が自ら命を絶ってしまうことがあって……。そんなことを見ていると本当に神様はいるのかなって……」

彼女の声が詰まる。話しながらも、少し興奮している様子がほかの学生たちにも伝わっている。

美輪さん　「神様はいますよ（笑）。以前、歌手の森公美子《もりくみこ》ちゃんから聞いた話をしましょう。彼女の自殺した友達のお化けが出て来てこう言ったそうです。『死ぬことも自分の人生のプログラムに組み込まれていた』って。そうやって神様は、それぞれ人生をプログラミングしているのをご存知でいらっしゃる。だから嘆いたりすることはありません。あなたはまだ苦しんでいますね？」

女子大生　「はい」

美輪さん　「そういう段階でいいんです。それもあなたの人生のプログラムの一段階です。あなたはまだ小学一年生くらいなんですから（笑）」

彼女の顔が一気に和《やわ》らぐ。

美輪さん　「苦しんだりするのはいいの。それも勉強だから。ただ、注意しなくてはならないのは〝信仰〟と〝宗教〟は違うということ。

信仰というのは神のことを信じる、貴《たっと》ぶ。それは信用できるからです。なぜ信じるか、それは正しくて、強くて、厳しくて、清らかで優しく思いやりにあふれていて。でもそうかといって私たちを甘やかしてばかりではない、そんな完全無欠な人格であるから神は信じられるということ。そしてその地平に、自分も神の一人として、神に近づこうとする作業なんです。この世のどこの世界でもある、憎んだり、脚を引っ張りあったり、畜生！　ってやり返してしまおうとする気持ちを『いけない、いけない』と反省して軌道修正したりする。それが何十回何百回と積み重なってびくともしない全人格的なものになっていくのです。この地球は、毎日が精神の道場で自分を高めていく作業場なのです。では、宗教とは何か。それは、その神様と人間との間に立ちはだかって商売をするということです。こういう考え方もありまっせ、こんなグッズも売ってまっせ、という問屋さんが宗教。宗教は企業なのです。その中には優良企業もあればインチキ企業もある。よく調べないといけません。だから私は、あなたには自分自身が自分を救う信仰を勧めます。ね、終わり（笑）。大体ね、あなた、小さいころから、いろんな苦しみや悩みを克服して来たからこそ、そこまでずうずうしく生きて来られたんでしょ？今だって生きてるじゃない。それがあなたの強さの証拠です。だったらこれからも大丈夫。ついでですもの、これからだって充分今までみたいにちゃんと生きていけます」

心の美しさは、思いやり、愛、優しさから

次に、大学で美術史を専攻しているという女子大生が質問をする。

女子大生「舞台や本を拝見して、美輪さんの言葉に対しての美意識は非常に造詣《ぞうけい》が深いと思いました。今まで培《つちか》われたその美意識を小説に書かれるご予定はないんですか？」

美輪さん「書きたいんですけれど、物理的に時間がないので（笑）。ただ、いつも美意識について考えています。言葉が美しければちゃんとした生活ができるんです。今はタメ口ばっかりでしょう？『それでー』『なんとかでー』って話したり。歌い手の人も『おりぇ（俺）のきゃらだ（からだ）をきゃぜ（風）がきゅるぅううー（切るー）』なんて歌って、どんなキャラダをしてるんでしょうかね（場内爆笑）。口をカーッてつまんで矯正してやりたいですね。

私が小さいころ、水商売をしてた両親の店に大財閥の娘がよく遊びに来ていました。頭をボ

ブにして、イヤリングにネックレスに指輪なのに、いい振り袖をモダンに着て、いつも扇子を口に当てて『おほほ』ってしとやかに笑っていた。とてもエレガントで、映画を勧めるときも『あの映画ご覧になった？　面白いことよ。ご覧あそばせ』と言う。そんな彼女がある日ゴルフの帰りだとニッカボッカをはいてハンティングをかぶり男装をして、ボーイフレンドのうちの一人と現れた。彼女は彼の膝の上に腰掛けて、ワインを飲み煙草をくゆらせながら、彼の首に手を回して悩ましい小声で『ねぇ君、今夜あたりそろそろ僕のことさらっていきたまえよ』ってささやくんです。そうすると、もう、その男はメロメロになってしまっている。幼いながらに私は、これは〝悪い女だな〟と感心しました。彼女の場合、頭が違うの。女の恰好でそんなことをしても下品なだけ。男装してやるから意外性があるということをちゃんとわかっていたのね。美人ではなく〝麗人〟という言葉があるのをご存知ですか？　顔がきれいでスタイルがいいというのではない。美術、音楽、さまざまなことに造詣が深くてひけらかさない。ボーイフレンドが間違ったことを言ったのに気がついても気がつかぬふりをして『あら、そうなの？』と相手に恥をかかさないように思いやる。愛、優しさを持っていて実践している人。そういう人こそが麗人で、美意識を持っているというのです。ちなみに、今日こちらにいらっしゃる方は皆さん美意識をお持ちですから大丈夫。私に興味を持たれているんですから（笑）」

スノッブより麗人を目指す

美人より上の、〝麗人〟になるための条件を身につけましょう。

一、和服を着た時の立居振舞を美しくするためには、少しくらいは日本舞踊をたしなむことが必要です。花柳《はなやぎ》でも藤間《ふじま》でも地唄舞《じうたまい》でも結構です。和服は、絣《かすり》類以外の着物は、うんと思いきって衿《えり》を抜いて着たほうが、美しく見えます。

一、洋装の際の美しさのためには、クラシックかモダンバレエと社交ダンスを、深くなくても結構ですから、基本だけでも習っていたほうが気品のある姿勢や動きができるようになります。たとえば、草刈民代《くさかりたみよ》さんのように……。

一、話し方が上手になるには、声楽でも楽器でも何でも結構ですから、基礎的な音楽の知識があったほうがよいでしょう。声の高低、強弱、明暗、早く遅くの速度の調節から休止符、つまり間の取り方など。

一、和洋とも、礼儀作法や食事のマナーは、一応心得ていたほうがよいでしょう。

一、買って身につけなくても結構ですから、洋服も宝石やアクセサリーの小物類も、生活用品（食器や家具調度品）などは、常に一流の店をウィンドウショッピングすることを心がけて、本物を観る眼を養ってください。そのうちにだんだんとよい物と悪い物の見分け方が自然と上手にできるようになります。また、それぞれの店のエキスパートに見分け方を聞くのも勉強のひとつの方法です。

社交界の真実の姿

若い女性たちは、上流社会とか社交界とかにむやみにあこがれを抱いているようですが、何事にも裏と表、本音と建前があるように、社交界にもそれはあります。デビュータント、舞踏会、宝石、ファッション、パーティー、狩猟、自家用機、クルーザー、スキー場……、ちょっと見は華やかで、マスコミも、社交欄その他で一般庶民を羨《うらや》ませたいばかりの記事のみを発表します。

そして、社交界の人間たちも、いかにもゴージャスで洗練されていて、あたかも楽しいことや仲良しばかりの天国のような印象を与えようと、そういう部分ばかりを強調して話します。

ところがどっこい、一歩中に入ってみると、そこは見ると聞くとは大違い、着飾った魔物が丁々発止《ちょうちょうはっし》の熾烈《しれつ》な戦闘を繰り広げる戦場なのです。

彼らの本当に職業とするところは、悪口、蔭口、裏切り、嘲笑《ちょうしょう》、意地悪、虚栄、見栄っ張り競争、権謀術数《けんぼうじゅつすう》、なのです。ですから、世間の常識どおりにこのような卑劣《ひれつ》・下劣で恥ずべきところを正させてしまうと、たちまち彼、または彼女らは、失業者になってしまうのです。

それは、そうなのです。なぜならば、元来、社交界というものは、古代国家の昔から、各国の宮廷・サロン・社交場の延長線上にあるものなのですから、そしてそこは、歴史書や映画や小説でみなさんご存知の〝ボルジア家の毒薬〟チェーザレ・ボルジアやエカテリーナ女帝、マリー・アントワネット、ヴィクトリア、西太后など、数え上げればきりがないほど、殺人、悪意と妬《ねた》み、嫉《そね》み、ひがみの分子で構成されている修羅場《しゅらば》なのです。それは、ヨーロッパだけではなく、たかだか二、三百年の歴史しかない新興国の米国にもそれはあります。拝金主義者で傲慢《ごうまん》で冷血なエゴイスト、それがエリートと称する連中の正体です。

本当の「上流」のスタイルとは

ま、しかし中には、稀《まれ》に「ああ、この人は本当の貴婦人、貴公子、淑女、紳士だな」と感服できる人も、少数ながらいることはいます。ただし、彼または彼女らは、あまりバカ騒ぎをしたりするパーティーや社交界とは一線を画していて、よほど世の中のためになるような催《もよお》しや格調高いパーティー、もしくは仕事がらみの会に、ときおりしかたなく顔を見せる以外は、あまり人前に出たがりません。

自宅や別荘、または農園やオフィスなどに、自分の趣味（音楽、演劇、美術、文学、スポーツなど）の仲間を招《よ》んで交流を深め、生活をエンジョイしています。そして、そういう際に他人の噂話や情報をやりとりすることはあっても、それはあくまでも善意から発したお行儀のよい会話レベルで、もしその中の誰かが悪意から発した中傷・誹謗《ひぼう》・悪口蔭口・嘲笑の類《たぐい》になった場合、みな聞かなかったふりをして無視をしたり、さり気なく話題を変えたりします。そして、その悪意の人は、その邸に二度と招かれることはありません。

本当の上流人は、ボランティア活動も、これ見よがしではなく、できるだけ目立たぬようにさり気なくしていますし、どんなに醜い人や貧しい人に会っても、ことさら特別な接し方や態度はとりません。

三流の社交界の人種は、口から悪口蔭口陰謀という、〝蛇〟や〝蟇蛙《がまがえる》〟や〝蛆虫《うじむし》〟を吐き出して話をします。ところが、一流の上流人種は、口から美しい真珠やダイヤモンドのような言葉の宝石しか出しません。時々は批評などするときもありますが、それはあくまでも冷静で客観的で、平和で穏やかで、ユーモア混じりのものです。けっして闘争的で、下品で、また悪意に満ちた猛々《たけだけ》しく凶々《まがまが》しい口調ではありません。

また、政治や社会問題や、思想、哲学の話題もあたり障りのない程度にしておかないと、その中の誰かが、裏でその問題にかかずり合っているかもしれないともかぎりませんから、危険ですし、深く突っ込んでいくと口論になってしまうこともあります。まして、宗教問題はけっして話題にしてはいけないのです。このあたりのことは、ごく自然に押さえられている。それが本当の「上流」のスタイルなのです。

華やかな社会の裏面を見る

しかし、残念ながら、我国日本をはじめとして、ヨーロッパや米国などの社交界において、そういう真の紳士・淑女はじつに稀な存在です。それはそうなのです。しかたがありません。生存競争で人々を押し退《の》け、突き飛ばして打ち勝って生き続けてきた猛者《もさ》のつわものばかりなのですから、そうでなければ生き残っていけない世界なのです。エリートとはそういうものなのです。

ですから、善良なる社交界人種は、世渡りが下手で、先祖からの城や庭園や美術品の維持費などを捻出《ねんしゅつ》するのにもたいへん苦労しています。投資銀行に財産の運用を委《まか》せているばかりではやっていけない場合が多いのです。でも、そんなことは、ほかの社交界の連中には毛ほども悟られないようにしなければなりません。もし、お金がないなどということが噂で広まったりしたならば、もう誰にも相手をしてもらえなくなるのです。

それにしても、不思議なことに上流社会の噂話というものは、よほどのことがないかぎり外部には絶対洩《も》れることはありません。たとえ普段憎み合っている仇敵同士であっても、自分たち社交界のことは、けっして外部には洩らすようなことはしないという不文律のようなものを守っているものなのです。

ところが、その何らかのいざこざが社交界人同士ではなく、社交界以外の人間が一人でも絡んでいた場合には、すぐに表沙汰《おもてざた》になり、たいへんな騒ぎとなってしまいます。ですから彼らは外部の人間には極端に用心深く神経質になり、バリケードを張りめぐらせて生きています。

そして彼らの中には、自分の交際範囲の招待者リストを、命のように大切にしている人が多いのです。それがさまざまなリベートバックをもたらす収入源にもなったりする場合もあるのですから。じつに奇怪な世界です。

以上、ざっと述べてきたように、社交界とか上流社会とかいう代物《しろもの》は、魑《ち》魅《み》魍魎《もうりょう》の世界なのです。ですから、どうかみなさん、テレビや雑誌などのマスメディアで報道されるようなキラキラした一部分だけを見て、社交界や上流社会などといった忌《いま》わしいものに、ただやみくもに憧《あこが》れるのはおやめなさい、と申し上げたいのです。〝娼婦は貴婦人ぶり、貴婦人は娼婦ぶる〟ということわざがあるくらいですからね。そういう世界に憧れること自体が品性の軽薄な人間だという証拠になるのですから。

趣味や価値観が合えば愛情はいっそう深まる

ちょうどチャールズ皇太子とダイアナ妃が結婚したころでしたが、長い間私の唄や芝居のファンでいてくれた英国貴族であり、またいくつかの会社のオーナーでもある友人が、私に「あの二人はきっと巧くいかず、やがてたいへんなことになるだろう」と予言めいたことを言いました。「何故か」という私の問いに彼は、「なぜなら、彼らはあまりにもすべてにおいて趣味や好み、考え方や価値観が違いすぎる。チャールズは建築や美術、芸術、しきたりすべて保守的で、クラシック好みだが、ダイアナは何もかもすべて反対だ。まず音楽や演劇の好みだけでも大喧嘩《おおげんか》になるだろう。今に見ててごらん。愛し合っていられるのは始めのうちだけさ」と言い

ました。

そして、事実その推測は、見事に当たりました。そして愛人のカミラのことを世間では、「あんな年上のしわだらけの女を好きでい続けるなんて、きっとチャールズはマザコンだからだろう」と噂しましたが、じつはそうではなく、カミラとは、いろいろなジャンルにおいて趣味や好みがいつもぴったり一致していたからだそうです。

つまり、以上の事柄でもわかるように、人間ははじめは容姿容貌を気に入り愛しても、やがてどんな美男美女でも一緒にいるようになれば肉体的愛情はマンネリになり、飽きがきます。そしてそれから後は、今度は内面内容がはじめて重要な問題になってくるのです。趣味や好み価値観が同じであれば、ますます愛情は深まっていきますが、その反対に何から何まで違う好みや価値観や意見であれば、そこから愛情にもひび割れが生じ出し、やがては衝突し、かぎりない憎しみと変わっていくのです。

そして、二度と取り返しのつかない結果となるのです。

メフィストフェレスに魂を売った芸能界よ

なんだか愚痴っぽくなりそうです。だって、最近のワイドショーの下世話さを見ていると、本当に情けなくなりませんか。

注目する芸能人がどんな芝居をするか、作品の内容、演技、演出、美術、衣装、音楽、照明などの芸術的価値、どんな歌を聴かせてくれるか、曲のメロディ、ハーモニー、編曲、詞の内容、歌唱法や表現力、それを視聴者に伝えるのが本来の「芸能」トピックスでしょう。ところが「芸能」とは関係のない、離婚、結婚、スキャンダル、出産、悪口雑言バトル……。そういうものだけで成り立っているのが今のワイドショー。たとえ制作発表の取材に来ても、作品についての質問なんか誰もしやしない。興味あるのはプライベートなことだけ。普段すっかり忘れられているような人でも結婚や離婚をすればそれだけでクローズアップされる。ただそれだけ。なんて嘆かわしい状態でしょう。あまりにもレベルが低すぎます。そんなものは「芸」でも「能」でもない。

たとえばその本人がどれほど実力があり、どれだけ芸能史に残る業績を芸能界に残してきたか、それは誰も伝えようとはしない。ただ今あるのは片手間の副業だけだったり。ましていわんやその家族というだけの芸術家でも何でもない人たち。ただそれだけのフツーの人たちなのに、プライベートの生活を暴き立て、騒ぎ立て、あたかもマリア・カラスやリズ・テイラーのような、アーティストや大スターといった人たちのスキャンダルのごとく扱うなんて……。正気の沙汰《さた》ではありませんよ。本人がいちばん可哀想です。何の芸術的才能もないのですから。

また、本人たちもパーティーの場や芸能界の人脈で生きているだけの人もいます。ニューヨークあたりのパーティーに行けばザラにいるような、正体不明の、ただ着飾ってウロウロしているだけのパーティーガール、そういう人たちがもてはやされること自体、とても不思議なことなんです。

人生は二番手、三番手が無事息災

しかし、考えてみれば、若いタレントたちも猛女たちも哀《あわ》れといえば哀れ、気の毒といえば気の毒なのです。彼、または彼女らは、マスコミという魔物たちの犠牲《いけにえ》なのですから。

　魔物たちが時の大スターとしてもてはやし、高く放り上げる胴上げは、やがて地面に烈《はげ》しく叩《たた》きつけ、泥をつけ、侮辱し、汚《けが》し、蹂躙《じゅうりん》するための胴上げなのです。その胴上げが高ければ高いほど、落とされたときの落差の痛みは悲惨、無惨なものなのです。

　ところが、持ち上げられている最中の本人たちは、そんなマスコミの魂胆《こんたん》は露《つゆ》ほども気がつかず、ただ喜び有頂天になっているのです。やがて、寄ってたかって踏みにじられることも知らず。

　それに気がつくのは、やがて祭りが終わり、北風が吹き、蹴散らされた紙吹雪や仮面と自分の姿とを重ね合わせたときなのです。そのころには、もうマスコミという魔物の群れは、さっさと次なるスケープゴート《犠牲の羊》を探して、おだて上げはやしたてているのです。

　私は、この半世紀近い私の芸能生活で、どれほどたくさんの例を見てきたことか枚挙にいとまがありません。ですから、人生は、いつも二番手、三番手で走っているほうが無事息災《そくさい》でいられるのです。みなさんもそれを頭に入れて、マスコミの魔手の動きを見ていてごらんなさい。次は誰を狙《ねら》っているかわかりますよ。

　それにしても、レポーターたちも哀れで気の毒な身の上ですよね。他人の弱みやトラブル、不幸などにつけ込んで、死者の腐肉に襲いかかり、むしゃぶりつくすハイエナのような、情けなく汚いことをするのが仕事なんてねえ。人間として誇らかに、自分の子どもにも胸を張って自慢できる商売じゃありませんからねえ。内心、本音のところは、後ろめたく恥ずかしいのだと思いますよ。

ワイドショーだけじゃない。石原慎太郎《いしはらしんたろう》知事をみてごらんなさい。彼はマスコミが創りあげた都知事です。彼の政治家としての自民党時代の足跡・力量なんて少しも問題とされてない。タカ派で危険な思想を持っているかもしれないのに。

〝親の七光り〟ならまだしも〝弟の七光り〟とは情けないではありませんか。だって出馬会見での第一声は「石原裕次郎《ゆうじろう》の兄でございます」だったのですよ。自分の名前にそんなに自信がないのでしょうか。男なら、自分一人の名前で勝負すべきです。彼は裕次郎抜きでは勝負ができないのでしょうか。いつまでも故人を利用して、安らかな成仏を妨げるものではありません。また有権者の方々も、彼は裕次郎ではないのだ、ということを考え直されたほうがよろしいのではありますまいか。彼も、そろそろ自分の名前だけで人生に勝負をかける年をとっくに過ぎているのですから。

プロフェッショナルに審美眼《しんびがん》を問いたい

美しさに関してもそう。それが流行りさえすれば、美意識なんてどうでもいい。全部右へならえ。美の基準がわからない。皆がこんなことでは、アメリカの文化植民地になってしまったパリのように、日本は本当にダメになってしまいます。

後でお話ししますが中原淳一《なかはらじゅんいち》さん。悪いけれど、彼はけっしてハンサムな方とはいえませんでした。だけど、彼の趣味のよさや物腰の柔らかさといったら！　常に美しいものに囲まれ、そういうものを身に纏《まと》って生きようとした人だから、独特の洗練された雰囲気が生まれ、とても美しい人に見えました。創るものはもちろん、何よりもまず彼自身が生活者として美のプロフェッショナルであり得た。そこが彼のすごいところ。今のプロフェッショナルな人たちが中原さんのように公私にわたって美のお手本を見せてくれれば……。なのに創り手であるはずの人たちの審美眼がいかれちゃっているからロクなことが起こらない。

講演会に来た、とある猛女を見て「わあ、きれい」と叫ぶ人がいる。しかもそういうニュースを平気で流す。あれは笑いをとるつもりなのでしょうか。いえ、実は恐ろしいことなのです。世間もそのおかしい部分を「？」と考えることもせずに易々と受け入れている。火星人じゃあるまいし、政財界人、文化人、芸能人という特別な生物なんていないのです。中身はみんなただの人間のはずなのに、しかもその家族というだけで本人たちも威張ったり権威ぶったりするのは野暮の骨頂、無粋なことなんです。

理知的でまっすぐであるべきマスコミの背骨がぐしゃぐしゃに歪《ゆが》んでしまい、品性下劣になっている。世の中でいちばん根性を叩きなおさなければいけないのはマスコミなのかもしれません。汚いもの、お手軽なものだけがもてはやされ、テレビも視聴率だけが神。会社が儲かりさえすれば良心なんていらない。何でもかんでも話題になっている人間にすぐ飛びつき、食らいついて寄生虫となり、本を出させて儲けにありつこうとする、品性下劣なじつに卑《いや》しい出版社。悪魔に魂まで売り渡してしまう……悪への誘惑者メフィストフェレス様もさぞやお喜びのことでしょう。

中原さんや美術界の巨匠たちの展覧会はあっという間に終わってしまいます。それを惜《お》しみ、それこそワイドショーでどんどん取り上げて再びブームを作ろうとするのが、本来マスコミがすべき使命なのではないのでしょうか。

あなた方だけには気がついてほしい、今の世の中の間違いを。くれぐれも魔界の連中の片棒を担いだりなさらないように。

魅力ある人になる方法とは

世の中には、容姿容貌ともに恵まれた美男美女なのに、すぐに飽きられてしまう人たちが多くいます。また、古くから言われていることわざにも、「美人は三日で飽きるが、醜女《しこめ》は三日で馴《な》れる」という言葉もあります。

ということは、たとえて言うなら、〝デパートのショーウィンドウに惹《ひ》かれて入ってみたら、平凡でありきたりのつまらないガラクタ商品ばかりだったので、何も買わずすぐ出てきてしまった〟ということなのです。そして、その店には二度と行きません。

それと反対に、飾り窓はつまらないディスプレーでも、ひやかしのつもりで何気なく中に入っていったら、商品の品揃えも変化に富み、豊富で、サービスも満点のデパートであれば、かえって意外性があり、たちまちユーザーは虜《とりこ》になり、上客、つまりよいお得意客さんになってしまうことがあるのです。

物知りと真の教養人とは違う

人間も同じです。外見はたいした人ではなくても、得意客をゴマンと抱えて繁盛《はんじょう》し、モテまくる人になればよいのです。では、その方法は何かといいますと、簡単です。それは、知性、教養、ユーモア、思いやりにあふれた明るく優しい人柄です。けっして他人の悪口を言わない人です。そういう人は、奥が深く、知れば知るほど面白くて飽きるどころかますますのめり込んでいき、しまいには完全にハマってしまいます。政治、経済、社会、音楽、演劇、舞踏、文学、美術、スポーツなどのどんな話をしてもそこそこの知識や、それに対する自分の意見をそれなりに持っている人です。ただし、その意見や見識が偏《かたよ》ったもので、偏屈かつ頑固頑迷な場合は逆効果になり、かえって人に嫌われ孤立するもとになります。

みなさんがテレビ、雑誌、新聞などでよく眼になさる人々の中にも、こういう人がよくいます。博覧強記《はくらんきょうき》なほどいろいろなモノに知識はあるけれど嫌われている人、こういう人は人柄に問題があるのです。こういう人は、真の教養ある人とはいえません。ただのモノシリなだけなのです。

真の教養人とは、精神世界の知識や修行も自己のものにしている、円満なる人柄をふくめていうのですから。とにかく、その道々の専門家になって、それで食べていくわけではありませんから、そのひとつひとつをそれほど深く極める必要はありませんが、広く浅くで結構ですからこの世のありとあらゆる事物、事象に興味を持って知覚しておくことです。

悪い言葉で言うならば、「知識の八方美人になれ」ということです。たとえば、音楽なら洋楽、邦楽、クラシックからポピュラーまでのあらゆる種類のものを知っておけば、FM放送のどのチャンネルを流していても退屈することはありませんし、恋人といっしょのときのBGMも、彼または彼女の好みのものに無理なく自然に合わせることができるのです。

そして、話題もあらゆるジャンルの芸術に対してふたりに興味や知識があれば、その話や共通の趣味を実行したり楽しんだりできるのです。デートの場所も、美術館、博物館、音楽会、劇場、スポーツランド、旅行……と数え上げればキリがないほどレパートリーが広がります。そうすればセックス以外はモヌケのカラという情けないふたりでいなくてよいのです。ほかの人が一五度くらいの人生だけで終わるところを、三〇度、四五度、一二〇度と、他人の倍にも三倍にも人生の楽しみをふくらませることができるのです。

蝿取り紙やゴキブリ退治のような人になりなさい

くっついたら最後、どうにも離れられない人。こういう人になるには、セックスのテクニックはもちろんのこと、まだほかにとても大事なテクニックが必要なことを忘れてはなりません。それは会話です。言葉です。ボキャブラリーの引き出しの多さです。

この地球には、無限大なほど多くの言葉があります。その言葉の群れを自由自在に使いこなすのが、魅力ある人の条件です。たとえば、恋人に電話をします。「もしもし、どなたですか？」と聞かれたときの答えです。さあ、あなたはいつも何と答えていますか。「あたし」「リカ」「リカよ」「リカだよ」ぐらいのものでしょう。だからつまらないのです。

そういうときも、自分の名前を当たり前に告げるより、「白鳥麗子《しらとりれいこ》でございます」「久本雅美《ひさもとまさみ》だよん」「クレオパトラであるぞ」「ブッチホンのオブチです。ただいま総理官邸からかけておりまあす」のほか、「長嶋茂雄《ながしましげお》でえす」、わざとかすれ声で「曙関《あけぼのぜき》でごんす」と女ながらも答えてごらんなさい。たったそのひと言だけのことで、相手も貴女《あなた》も楽しくなるのです。

それにまあ何とありがたいことに、外国と違って「私」という自分を表す言葉ひとつにしても、日本語は驚くほどたくさんの種類があります。それを日常でもふんだんに使ってこの世を楽しめばよいのです。古語から現代語から東北、関西、九州などの方言を多種多様に駆使《くし》するべきなのです。また、外国語でもかまいません。

「もしもし、どなたですか？」

「わんだすぇだんよ」

「誰ですか？」

「あてだがね」

……「うちやないの」「わしじゃよ」「わちきでありんす」「拙者《せっしゃ》でござる」「わたくしで御座《ござ》いますわ」「おいどんでごわす」「わらわじゃわいなあ」「おいらだあよん」「わてでおます」「麿《まろ》にておじゃる」「太郎冠者《かじゃ》にて候《そうろう》」「吾《わ》が輩《はい》である」「朕《ちん》である」「予《よ》じゃ」「自分でえす」「それがしで御座る」「僕ピカチュウよ」「こちらノリマキアラレでちゅ」とまあ、ざっとチョッと思いつくだけでも、こんなにたくさんの表現の仕方があります。


また、普通に喋《しゃべ》っている会話の途中に、いろいろ多種多様な言葉や表現が混じるのも楽しいものです。「私もそう思う」を「わらわもその如《ごと》く思ほゆ」とか「アイ・スィンク・ソウ」とか「ンダ、ンダ、オラもそう思う」とか「私《わたくし》も同感ですわ」「ふんとにそうだんべなあ」とかエトセトラありますし。今の「ンダ、ンダ」の東北弁のように、「はい」という言葉もいろいろあっていいでしょう。「イエス」「ヤー」「ウイ」「スィー」「ンダヨ」にそれぞれ敬称や名前をつけてもよいでしょう。「シニョール」「シニョーラ」「シニョリータ」「マドモアゼル」

「マダム」「ムッシュー」「サー」「マーム」「ユアマゼスティー」「ユアハイネス」「陛下」「殿下」「閣下」「～様」「～さん」「～ちゃん」「～っぺ」「～どん」など、これもたくさんあります。

このように、会話の途中に古語や現代語、敬語やスラング、俗語、外国語などを交えながら会話を楽しむ方法があるのです。また、何かをたとえて表現するときも、とんでもないところから意外性のあるユーモアたっぷりな表現法で話すと、その人はたいへん魅力的な、一生忘れられないような人になることができるのです。

それには、古今東西の多種多様なところに発想をめぐらせるだけのウィットと、幅広い教養と知識と想像力がお互いに必要になってきます。

人生を
ドラマティックに

それでは、ここでみなさんの参考になるような、具体的な話をひとつふたつお話しておきましょうか。

昔、私のボーイフレンドで面白い人がいました。今はもうこの世にいない人ですが、彼はいつも真顔でトボケたユーモアを発して他人を笑わせてくれる、天然ボケのまったく愉快なキャラクターでした。

その一、公園をふたりで散歩中、花園のあまりの美しさに、私が思わず「ウワァ！ 綺麗ねえ!!」と感嘆詞を洩《も》らした途端、すかさず彼が「うん！ 呼んだ？」と隣から私を覗《のぞ》き込んだのです。

それから以後、彼と一緒のときは、いつも私が不覚にも感嘆詞を洩らしたあとには、間髪《かんはつ》を容《い》れずすぐに「呼ばないよっ！」と叫ぶ防戦術を駆使《くし》しなければなりませんでした。〝わあ、キレイ〟とか〝すばらしい〟〝みごとねえ〟〝なんてみごとなの〟というたびに、横やら背後から「呼んだ？」「いやそれほどでも」「どうもありがとう」と澄ました顔でやられるからです。

その二、運動嫌いですぐに腰掛けに寝そべったりする彼に、「ほら運動しなさい。トドになるぞ、マシュマロマンになるぞ」と脅《おど》しますと、「はい」と珍《めずら》しく素直に返事をしたかと思うと、「お一、二、三、四ィ、お一、二、三、四ィ、オイッチ、ニイ、サン、シイ」と小声でつぶやきながら両手の人差し指と中指だけを上げたり下げたりするのです。そして、それを四回ほど繰り返しただけで、ぱたりと止め、「ああ疲れたア。リポビタンくださアい」と死んだふりをするのです。

その三、買い物に行った先で、お釣りを受け取ろうとしていると、横から両手を重ねて差し出し、さも情けなさそうな声で「恵まれない子どもにィお恵みを〜」としゃがみ込むのです。店員の人たちがびっくりしたり、吹き出したりしても平気なのです。金持ちのくせにです。

その四、運転席に座る私に、自分はけっして助手席に座らず、後部座席からふんぞり返ったまま「おい運ちゃん！　やってくれ！」と命令したまうのです。その後、車中のスピーカーからマリア・カラスが全盛期のころにコロラトゥーラ・ソプラノで唄った難曲〝ラクメ〟の〝鐘の唄〟が聞こえてきました。とてつもなく高い声でコロコロ転がす声を真似したくなったのか、「ヒイー、ヒイー、ピロピロピロピロ」と金切り声を上げて失敗し、無惨な結果に終わったのを、私が優しくなぐさめて「ブラヴォー、ブラヴォー、残念ねえ、ご苦労さん。今度生まれ変わったら上手に唄えるわよ」と言ったら、「畜生！　クヤシイ！　今ごろ声変わりになるなんて！　神様をタタッテヤル！」とのたまいました。

その五、私はいつも忘れ物をしたり、何かヘマをやらかしたりするたびに「まあ、私としたことが」と言うのですが、そんなとき決まって彼は「私としたことダカラデショ」と口をはさむのです。

その六、彼が部屋をノックしました。「なあに」と私がドアを開けると「おシッコ……」と言いました。「まあ、それはそれは、御丁寧《ごていねい》にお知らせくださってありがとう」と私が言うと、「どういたしまして。では失礼。お邪魔いたしました」と悠然とトイレにいらっしゃいました。

その七、ある日、私の友人から出身地を聞かれた彼は「あては神田の生まれだっせえ、チャキチキの江戸《イド》っ子《ゴ》だんべ。そんりぇでなぁも、育ちは芝の中野でんがな」と答えていました。

会話を楽しむ……。その一例を披露しましょう

話は変わりますが、こういうこともありました。昔々、今から約二十年以上も前の話です

が、ある日、デヴィ夫人から招待を受けパーティーに行きました。

私の右隣が私の古くからの友人遠藤周作《えんどうしゅうさく》さん、その隣がデヴィ夫人、その隣が三船敏郎《みふねとしろう》さん、そして私の日の前が輪《わ》島《じま》関、その隣席がひとつ空いていて次がヤクルトスワローズの昔のオーナーの松園尚巳《まつぞのひさみ》さんとどなたか婦人でした。そして、外国人デザイナーのファッションショーを行う真正面の席が私の左隣の空席なのでした。某国の大使代理が見えるということでした。

やがて、ギリギリになって現れたその紳士は、可愛らしい女性でヨーロッパ屈指の財閥系の娘さんという婚約者を同伴していました。ところが、彼はそのフィアンセを輪島関と松園社長の間に座らせ、彼自身は大使代理ということで正面の私の隣の席に着席しました。

そして、みなさんをデヴィさんが軽く紹介のあと、ディナーとショーが始まりました。ややあって、件《くだん》の紳士が私に、「失礼ですが、マダム貴女《あなた》のお名前は？」と聞いてきました。ところが、私は彼を冷たく一瞥《いちべつ》しただけで、返事もせずショーを見たり、食べたり、隣の遠藤さんに相槌《あいづち》を打ったりしていました。

彼は、そのありさまをじっと見ているフィアンセの手前メンツにかかわると思ったのか、無視し続ける私になおもしつこく二度も三度も同じ質問を繰り返すのです。やがて私は、四回目

にゆっくりと彼の国の言葉で「私の名前はローラ・モンテス（十九世紀半ばヨーロッパの王侯貴族をかきまわした史上有名な悪女）です。ですからとても危険ですよ。用心なさい」と答えてあげました。すると、彼は途端に吹き出したあと、目を急に輝かせて話し出しました。私は「御免《ごめん》なさい。私は貴方の国の言葉は話せません。残念ですね貴方」と彼の国の言葉で答えますと、彼は笑いながら、「貴女《ローラ》は不親切な人だ。そんなに正確な発音で喋《しゃべ》れるのに、喋るのが嫌だなんて」と言い、「では、ローラ、英語ならどうです。英語なら話せるでしょう」と英語で「ローラ、ローラ」とやってきました。

　私はわからないふりをして、またしばらく彼の幾度かの質問や話を無視して、ショーを見たり、遠藤さんと話をしていました。その後、いい加減に彼が諦《あきら》めかけたころ、英語で「私はローラじゃありません。ローラと呼ばないでください」と言いますと、彼は、「だって先刻貴女は自分からローラと呼べと言ったじゃありませんか」と言うので、私は「私の本当の名前はカルメン（作家メリメが書いた、スペインの煙草工場の女工で関わる男たちすべて不幸にする毒婦）なの。だからカルメンと呼びなさい」と答えました。

　すると、彼は、大喜びで面白がりながら「カルメン、カルメン……」と話し出すのです。そのうち今度は、「カルメン、カルメンと呼ばないでください。私の名はカルメンじゃありません」と宣言してやったのです。そうしたら、彼は大きな声で笑い出して、「では、今度は何て呼べばいいんです。聞かせてください。きっと貴女にふさわしいノーブルな、高貴な名前でしょうね」ときたので、「ええ、そのとおり。私の本当の名前はマダム・バタフライ（蝶々夫人）です。なぜなら、私の生まれ故郷は長崎で、私は恋のバタフライだから。用心なさい。私は浮気者で、どこへでも飛んで行き、どんな花にでも止まるんですから」と今度は答えてやりました。そしてそれからは、彼はじつに嬉しそうにあれこれと「バタフライ、バタフライ」と私の嘘の名を呼びながら話し続けるのです。

私は、彼の話が長いので、「ちょっと失礼、所用がありますので」と席を立ち、デヴィ夫人はじめみなさんに別れを告げてホールの出口までさっさと歩いて帰りかけていましたら、エスカレーターの前まで私のあとを追いかけてきた彼が、私の前に立ちはだかり、「どうか貴女の本当の名前と住所と電話番号を教えてください」と息をはずませて言うのです。私は、少しじらして黙って相手の顔を見ていました。

彼は、「あっ失礼、私のところで度々パーティーを催《もよお》しますので、それでぜひ来ていただきたいと思って」と弁解したのを聞いてやおら、「私はお月様に住んでいます。ですから、お月様に電話を頂戴」と答えて、彼がつかんでいた私の毛皮のストールからゆっくりと彼の手を握って離させると、エスカレーターに乗って降りて行きました。

ゲームは余裕がある方が勝つ

さて、その翌日、私の家へデヴィ夫人から電話がありました。

「ねえ貴女、貴女、○○氏に何をしたの？」

「何をしたって？　何もしないわよ私。どうして？」

「だってあのドン・ファンの○○が、もう一度どうしても貴女に会わせてくれって言うのよ。『僕が恋してしまったって言ってもらってもかまわない』ってまで言うのよ。あのモテモテの、けっして恋したなんてことはプライドにかけても言わない男が、そこまで言うなんてちょっとやそっとのことではないでしょう。ねえ、白状しなさいよ。貴女いったいどんな術であの人を降参させたの？」

　という質問だったので、

「別に何もしやしません。ただ、ちょっと嘘ばかりついてからかっただけよ」

　とそのときのいきさつを夫人に告げました。デヴィさんは笑いながら、「なるほどねえ、恋のゲーム、ラヴアフェアっていうのは、惚《ほ》れてしまったほうが負けなのねえ。何事も余裕があるほうが勝ちなのよねぇ」と感心していました。

その後、彼女の頼みを聞いて、彼を私が当時経営していたクラブに連れてくることを承諾しました。ただし、そのときも、デヴィ夫人はじめ某国の世界的に有名な劇団のお歴々や彼の婚約者や友人たちからいくらすすめられても、彼の隣の席には座りませんでした。彼は、その後何度かクラブを訪れましたが、私はいつもノラリクラリとしていました。

彼は、諦めて故郷へ帰り、しばらくして音信が途絶えました。ところが、数年後、私がコンサートのヨーロッパ公演で某国のホテルに滞在し、一週間ホテルのロビーで朝十時から夕方までぶっ通しで新聞や雑誌のインタビューに答えていたとき、大きな犬を連れた老紳士たちとともにじっと私を見つめ続けている人にふと気がつきました。彼でした。

私は、インタビューを途中で休憩し、彼の傍《そば》に行き話をしました。彼は、今ではかつての婚約者と結婚し、子どももでき、肩書もずいぶん立派な人に出世していました。

「どうして私がこの国に来てこのホテルにいることがわかったのか」と聞くと、世界でも著名な自国の新聞の名をふたつ上げ、そこに書いてあった記事を見て嬉しくてたまらず来たのだ、と言ってくれました。彼は、友人たちを私に紹介し、食事《ディナー》に誘ってくれましたが、私は断りました。彼は、「永久に貴女のことは忘れないでしょう」と言って去っていきました。

みなさん、これでおわかりですか。たった三十分ほどの会話、言葉のやり取りで、この世の中、人生をドラマティックにもロマンティックにも変えることができるということを。

外国でも通用するレディになるには

もし、貴方が外国に興味があり、憧れ、あちらで住みたいとか、長期滞在旅行したいと思っているならば、ちょっとアドバイスしたいことがあります。

英語や仏語、独語、伊語とその国の言葉をマスターして、その国の言葉ができるならばできるに越したことはありませんが、その国の言葉は片言でも日常会話でも、通訳などもいますからそれほど心配することはありません。

ただし、気をつけなければいけないのは、その通訳が外国かぶれの日本人の場合、その外国の言葉や文化は知っていても、自分の祖国である日本の歴史も文化も難しい言葉や形容をまるで知らない愚かな人が結構多いことです。自分の生まれ育った国なのに。

ですから、通訳してもらってもじつにいい加減で、相手の外国人にきちんとしたことが伝わらない場合があるのです。こういう人は、そこの国の人間たちにも軽く見られ、あまりそこでもウダツが上がる立場にはおりません。なぜなら、日本ではバイリンガルなどともてはやされ、一目置かれても、その国に行けば、その国の言葉を喋《しゃべ》るのは赤ん坊でもできる当たり前のことですし。また、その国の文化や歴史を知っているということは、知っていて当然なのですから、自慢にはならないのです。

その反対に、たとえその国の言葉が流暢《りゅうちょう》に話せなくても、片言であっても、自分の生まれた国、つまり日本の歴史や文化や政治・社会・経済問題を含めた全般的教養が高く、また深ければ深いほど、すばらしいアイデンティティがある人としてそこの外国人からは尊敬され、じつに丁重な扱いを受けることができるのです。

服装はオーソドックスに、背筋はピンと伸ばして

そして、立居振舞は、常に昔の日本古来の武士や武家の婦女子の作法のように礼儀正しく毅然《きぜん》として、出過ぎもせず、引っ込み過ぎもせず、泰然自若《たいぜんじじゃく》として和やかに堂々としている

ことが肝心です。ピンと背筋をのばした、優雅で気品のある話し方や動作は、必ず尊敬の眼で迎えられます。

あべこべに、よくテレビのバカ番組などで、海外旅行に買い物や食事だけで行かされたタレントたちが、キャピキャピ、ヘラヘラ、ウヒャウヒャと下品さ丸出しで世界中に恥をさらして歩いているのは、まさに噴飯《ふんぱん》ものです。また国辱ものです。

世界中で日本人だけです。たいしたこともないホテルの部屋なぞに感激して、いちいちギャーギャー驚くのは、ああいう連中は足留めをしておくべきです。バカなプロデューサーやディレクターと共に。みなさんは、あんなまねはけっしてしないでいただきたいと思います。

また、出掛ける前に、あらかじめ訪問先の国の社会状勢や政治状勢、宗教の戒律や生活習慣の違い、治安のよし悪しくらいはざっと調べて頭に置いていかないと、えらい事件に巻き込まれることが多々ありますから気をつけてください。日本にいるときのようにどこでもいつでも、自分の家の寝室や台所や近所の家に遊びに行くようなつもりで行く人たちも多いようですが、そういう人たちはとくに気をつけなければいけません。

本当に、日本ぐらいすべてにおいて自由な国は、世界でも珍しいのです。服装も、いつも私が言っているように、誰でもいつでも好きなものを好きなように着ればよいのです。またその権利があるのですが、外国ではそうはいきません。「郷に入らば郷に従え」と言いますが、まさにそのとおりなのです。原宿、青山、渋谷、新宿、銀座などをシャラシャラと歩いているお嬢さん方のファッションの多くは、たとえブランドものであっても、ロンドン、ニューヨークの五番街、パリなどでは売春婦のかっこうなのですから。

もの知らずでイナカモノの日本の服飾評論家と称する気取った連中が、ファッション企業の手先となって鼻薬をかがされ〝新しいほうがよい。新しいのでなければ駄目、流行遅れは駄目、古臭い〟などとわめいているのは、外国の中産階級以上のほとんどのファッションが保守的でオーソドックスなものが主流なのを知らない、まさに見当外れのセリフなのです。でも、そうなると、人間の虚栄心や見栄につけ込んだ産業であるところのファッション産業は駄目になり、ひいては自分たちの商売も廃業に追い込まれてしまうから困るのです。

しかし、いずれにしろ、外国では、せいぜい新しくても三宅一生あたりの服で品よく便利にまとめたり、コンサバティブなオーソドックスなお洒落な服装のほうが、一流ホテルでも丁寧な扱いを受けることができるのです。けっしてバカにされません。

そして、重ねてお願いしておきたいのですが、外国の町を歩くとき、日本の街中を歩いているときのように、けっして猫背で膝を曲げて、あごを前に出して歩かないでください。また、歩いているときの自分の姿勢や、威厳に対しての気配りや自意識がなさ過ぎるのは、日本人の特徴です。ボケーと口を開けてキョロキョロしていたり、ぼんやりと眼に映るものだけに気を奪われて、自分の立ち姿や歩いている姿に意識のかけらもないのは、困ったものです。ぜひ、普段日本にいるときから心掛けておいていただきたいと思います。

第二章

洗練された美意識

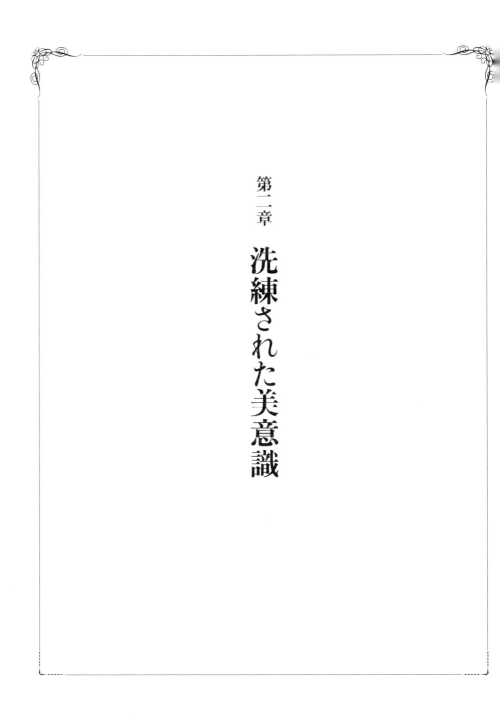

美しい女は総合芸術

昔、銀《ぎん》巴《パ》里《リ》というシャンソン喫茶で唄っていたとき、一人の若い女性のお客さんがすごく暗い顔をしていました。一人で淋《さび》しそうなので、かわいそうになって話しかけてみたら、案の定、男に捨てられたそうです。何年も貢《みつ》いだのに彼女を捨てて、お金持ちのお嬢様と結婚したという、よくある話なんです。

その話を聞いてから、あらためて彼女を見たら、まあ、本当に誰が見ても捨てたくなる外見をしているんです。髪はバサバサ、お化粧もしていないし、洋服も野暮ったいし。これじゃあ、男がゴミと間違えて捨てるのも無理はない。

「逃げた男は過去と同じで戻ってこないんだから、未来を見なさい」って美容室に連れていき、お化粧も教えて、洋服も選んであげた。おかげですっかり素敵になって、男にもてましてね。今度は「年輩のお金持ちと、年下の優しい男性の、二人に求愛されてしまったんだけど、どちらを選べばいいですか」と相談しにきたんです。「両方とつきあって、二股かけちゃいなさい」ってアドバイスしました（笑）。

今でもがんばって働いていて、知的で性格もよくて、外見も魅力的なのに、男性に縁がない人は、すごく多いでしょう。そういう人は、お化粧もしていなかったり、洋服も垢《あか》抜けなかったりでね。「本当にイイ男は、私の外見じゃなくて中身を愛してくれるはず」なんてかたくなに信じているんです。でも、残念だけど、そんな男なんて、ごくごく例外。ほとんどの男は女の包装、デパートのショーウィンドウにひかれて店に入ろうとするんだから、購買意欲をそそるように企業努力をして、見た目を女らしくきれいに整えることが必要なんです。そうすれば男なんて蟻《あり》のようにたかってきます。男に愛されるなんて、本当はすごく簡単なことなのです。

でも、これはあくまでも外見だけの話。男は単純ですから、それだけで寄ってはくるけれど、それはただ寄ってくるだけ。本当の美しさとは違うのです。

普段の生活が保護色となって滲《にじ》み出る

真に美しい女は、オペラと同じ総合芸術なんです。お化粧や洋服や髪型だけではなくて、観るもの聴くもの食べるもの、すべてを総合してつくりあげるものなんです。たとえ、付け焼き刃で外見だけを整えても、普段の生活のありさまが、見えない膜になって身体を取り巻いてしまうから恐ろしい。それとは反対に、美しい部屋で趣味の良い家具や食器に囲まれて、上品な服を身につけ、いい本を読み、クラシックなどのいい音楽を聴いていると、学生でみんなと同じ制服を着ていても、ほかの子と、どこか違って見えるでしょう。いいところのお嬢さんって感じがする。とくに着飾っていなくても、美しさが漂《ただよ》ってくる。

人間って、そういうものなんです。

だからといって、美しくなるためには、高価なものを身につけなくちゃいけない、なんてことではありません。値段は安くても、美しければいいんです。いつも美しい詩集を読んでいれば、目の光が変わるし、目に力も加わり知的になる。すべてが変わってくるんです。

話し方だって、そう。今は、男も女も同じ話し方をするでしょ。昔はね、明治の初期までは、ずっと、今と同じだったんです。下町のおかみさんは「そうじゃないか、おまえさん」と言って、武家の奥方は「そうであろう、きりきり申せ」なんて男言葉で話していたんです。男しか遣《つか》わない言葉っていうのは、「ござる」だけでした。

それが、明治に入ってから、「私はこうですのよ」や「私はそうですわ」などという柔らかな言い方を編《あ》み出したんです。女らしくコケティッシュな話し方で、男を籠絡《ろうらく》しようとしたわけです。知恵という財産で、非常にフェミナンな魅力をつくりだしたんですね。これには、お金は一円もかからないでしょ。お金をかけるお洒落より、お金のかからないお洒落のほうが絶大な効果があり、また、重要でもあるのです。

古今東西の文化から美意識を磨く

美しくなるために、自分のまわりに美しいものを集めて、美しい生活を送るというのは、そういうことです。そのためにも、何が美しくて、何がかっこいいのか、判断できるようにならなければなりません。

本当のかっこいいということは、礼儀作法がきちんと身についていて、言葉遣いが美しくて、優しい思いやりがある人のこと。脚を開いてすわって、乱暴な話し方をして、マナーをわきまえないのはかっこよくない。すごくダサいことなんです。すごくみっともないし、恥ずべきことなのです。野蛮人、原始人で、そのダサいのをかっこいいと思うのは、価値観が間違っています。

話し方だって、「あの映画、観たぁ。面白かったよ。観れば」なんて、ガサツですよ。昔の女の人は「あの映画、ご覧になりまして。面白いことよ。ご覧なさいましな」といいました。
こちらのほうが、ずっと美しいし、フェミナンでしょう。

今の時代は、野蛮で非人間的で、醜《みにく》いものがあちこちにあふれているから、美意識をしっかり持っていないと、どんどん流されていってしまいます。これと闘うために、名デザイナーのバレンシアガがいつもバロックに回帰し、モードの原点に戻ってデザインしていたように、常に最高の文化に戻って、そこから学び、創り出す必要があるんです。戦時中、脳ミソのない軍人たちによって贅沢は敵だと言われて、徹底的に日本古来からの美意識は破壊されたけど、その根底に素質は残ってはいます。絶望的に言えば、生活に潤《うるお》いを取り戻すのにあと百年はかかります。しかし希望的に見れば、あと百年も成長していける可能性があるということでもあるのです。

日本にだって、平安時代や室町時代、明治のアール・ヌーヴォーや大正ロマン、昭和モダン、本当に豪華で美しいものが生活のあらゆる場面にあふれていたでしょう。その時代の文化をふり返り掘り起こし学ぶのは、歴史の勉強のためだけじゃなくて、あなた自身が、美しくなるためでもあるのです。

美の悲劇

何度か再演している『葵上《あおいのうえ》』と『卒都婆小町《そとばこまち》』。いずれもテーマは美の悲劇なんです。美といっても数え切れないくらいの種類があります。中でも極上の美の一つにドラマティカルで悲劇を伴うものがあります。光源氏《ひかるげんじ》も葵上も、小野小町《おののこまち》もそう。小町のもとに九十九夜通った深草少将も美しく悲劇的だった。美男美女はきわめて生きにくい。とくに男性はねえ……。男の世界の嫉妬は怖いから……。

美にも「正負の法則」がある

男で美しい人は、制作者をはじめ、まわりの人間から妬《ねた》まれ、普通の演技をしても「あいつは大根だ」と言われる。よほどの演技をしても「普通」という評価しか受けない。だから、美男で演技派と言われる人はいないでしょう。逆に美しくなければ、普通の演技をしてても「味がある」「名演技だ」などと言われる。演劇界では不細工なほうが男女ともに絶対に有利です。

アポロ（右）とヒヤキントス

でも世間の人は、そんな陰の部分を知らずに美男美女の光のあたった部分だけ見て、羨《うらや》ましがるでしょう。マスコミはけっして陰は見ようとせず、シンデレラ物語を作っては大衆が羨ましがるように操作してきました。だってそうしないと新聞も雑誌も売れないから。

ダイアナ元イギリス皇太子妃だって、もしも、美に恵まれてなかったらあんな悲劇的な亡くなり方はしなかったでしょう。いつもスポットライトがあたるのは、その美しさやファッションばかり。ボランティア活動に打ち込んでもすぐに妬み嫉《そね》みで売名だと言われて……。

でも、これはある意味では仕方のないことです。この世は「正負の法則」というものに支配されているからです。全部がプラスというのは天国の法則なんですね。この世にいる限り、人より多くのものを得たら、それに匹敵するだけのものを失う。楽あれば苦あり、苦あれば楽あり……これはもう天の定めなのです。

若いころ、私は「美しい」ということで、ほとんど憎しみに近い感じで迫害を受けてきました。「おとこおんな」「気持ち悪い」「変態」……。中には「おまえが触ったものは腐る」とまで言った人もいました。

だけど、その反面「かわいい」「きれい」と褒《け》めては、かわいがってくれる人も少なからずいたのです。一方で水をかけられ、他方で褒めそやされる。マイナスにはそれを補うプラスが寄りそうということ。その狭間で生きてきたからこそ、いつもクールでいられた。ちょうどうまい具合にバランスがとれたんだと思います。

今の若い子たちは、そこそこ、ほどほどにはきれい。だけど、だからこそ、変にうぬぼれてしまう危険性もありますよね。

自分を見誤らず毅《き》然《ぜん》と振る舞う

忠告しておきたいのは、男の子がやたらと褒めてくれるのは下心からなんだということ。交《セッ》尾《クス》したい一心で、口からでまかせで褒めまくり、バッグも持ちましょう、エスコートもしましょう……というふうになる。でも、それを「私を愛しているから」などと勘違いしてはダメ。

今ある若い美しさは、別に努力した結果得たものでも才能でもない。生物は若いほうがきれい。ただそれだけ。山や海がきれいなのとおんなじ。天然現象なんだから。そこを見誤らないでください。口も心もお尻も軽い男は、根無し草のように軽々しい人生を送るのです。そんな男に軽く乗ってしまうと、すぐに軽く捨てられるのです。だからこそ、「私はモテる」などと有頂天にならないこと。性欲の対象にされていることと、愛されていることとは別だということです。

クリントン大統領がセクハラ疑惑で世間を騒がせていたけれど、つくづくクリントンという人は、仕事以外は頭が悪いな、と思いますね。

米国大統領という、いってみれば世界一のステイタスを手に入れたんですもの。自由や快楽……それ相応のものは当然犠牲にしなければいけない。なのに、彼にはそれができなかった。帝王学の中に、「正負の法則」が含まれているということを知らなかったのです。

もちろん、セクハラを受けたという女の側にも問題はあります。これは、最近よくある集団レイプ事件の被害者の女性にもいえるかもしれません。女がその身を守るためには、とにかく常に毅然としているべきなんです。隙を見せてはダメ。絶対です。

たとえば、好きでもない男から、食事に誘われるとします。そのとき、おなかが減っていたとしても、「私は自分の食事代ぐらいは自分で払えます。人様に御馳走して頂かなくてもけっこうです」と毅然とした態度で断るべきです。そうすれば男のほうも気やすく声をかけられなくなる。馬鹿にできなくなる。

車で送ろうかと言われても「車の中は密室でしょう。そんな空間に男の人と二人きりになるようなお行儀の悪いことをするわけにはいきません。それに歩いたほうが健康的なので私は一人で帰ります」と答えれば、男のプライドも保たれて、まるくおさまる（笑）。変におどおどしたり、おとなしかったり、あるいはハスッパな感じに振る舞ったりするから、男につけこまれるんです。安っぽい美というのは常に一歩間違えれば悲劇になる。だからこそ武家の妻女のように、いつもたしなみ深く、きりりしゃんとしていることです。罪を犯す人はもちろん悪いけれども、罪を犯させる罪というものも世の中にはあるのです。

シンプル・イズ・ワースト

私は、〝お洒落《しゃれ》に法則なし〟といつも思っています。テレビや雑誌などでファッションのなんたるかも知らぬ連中が、お洒落評論家やベストドレッサーと称し「イヤリングをしたうえに、ネックレスまでしたらトゥマッチ」なんて、エラそうに指摘していますよね。そういう人間に限って「英国の紳士、淑女は目立たないファッションを心掛けています」なんていうんです。

向こうにだって派手で美しい人は大勢いるのに知らないのです。

エリザベス女王を見てごらんなさい。あの方が正式の晩餐会に出るときは、ティアラ、イヤリング、ブローチ、ネックレス、ブレスレット、指輪……とすべて身につけた満艦飾《まんかんしょく》。それこそが正式で王道だということを、かわいそうに、自分たちの姿をタナに上げ、貧乏くさいえせ評論家たちは知らずにいるのです。

個性をより豊かに表現する、それがお洒落心

なぜ、彼らはシンプルという、ひと色のお洒落を強いるのでしょう。

もちろん、シンプルにまとめるほうがいい場合だってありますよ。いいけれども、それがすべてではありません。

装飾過多。楽しくって大いにりっこうじゃありませんか。美しければ、どんどん目立ってもいい。〝いったい何だろう〟と思わせるのが遊び心で、それが許される〝個〟を確立していくことがお洒落になるということです。

ドラマティックな美しさや遊び心、粋《いき》、あるいは微笑ましさ、つつましさ、可愛さ、優雅さ、ゴージャス、厳粛さという具合に、お洒落はいろいろなニュアンスを楽しむためのもの。星の数だけお洒落があるんです。「……ねばならぬ」なんて法則はどこにもない。「アクセサリ

ーをつけすぎてはいけない」とか「控えめなほうが好感度が高い」なんてナンセンスです。似合いさえすれば何を着たっていいんです。

だから、みなさんも「私ほど洗練された人間はほかにいない」といわんばかりの表情でまくしたてる、卑《いや》しい連中の戯《ざ》れ言《ごと》に、惑《まど》わされないようになさったほうが賢明です。そういう人たちほど、いつも偏った、とおり一遍のオシャレしかしていないのですから。それは、たとえるなら、毎日朝から晩までお茶漬けだけ食べている不思議な人たちのようなものです。

この前、篠原《しのはら》ともえちゃんに会ったんですけど、彼女、ずっと私のファンだそうです。通じるところがあるのでしょうか？　私も彼女のファンです。可愛いでしょ。髪に洋服に、何もとらわれず、オリジナルセンスで自らを彩《いろど》る。若い人々にああいう感覚の人が出てきたことは、じつに喜ばしい。

そういえば、昔、メイ・ウェストというセクシー女優がいたんです。「シノラー」を見てると、彼女を思い出しますね。メイは〝ダイヤの女〟と呼ばれるくらい、いつも山ほど宝石をつけてました。それでも、彼女があんなにも小気味よく映ったのは、自分が悪趣味だと悪口を言われるだろうということをわかって、わざとそれを楽しんでいたからです。

メイのように確信犯のお洒落を楽しんだ女優に、グレタ・ガルボがいます。彼女の場合、あまりにも完璧に整った顔だから、わざと趣味の悪い服を着て、プラスマイナス・ゼロにし、バランスをとっていたんです。

マレーネ・ディートリッヒはガルボとは逆。けっして美人とはいえません。私の友人であった三島由紀夫《みしまゆきお》さんが〝西洋版のおかめ〟と呼んでいたくらいですから（笑）。でもだからこそ、身につけるものは洗練された都会的なものばかり。そうやってあの独特の雰囲気を演出していたんですね。

今は、そういうお洒落心——美意識というものがすっかり影をひそめてしまった。それは日本だけではない、全世界にもいえることです。

真のシンプルとは、殺風景とは違う

精神錯乱《さくらん》を起こしたかのような、雑巾のような汚らしく、むごたらしいファッションの流行は見ていて悲しくなるばかりです。

古きよき時代の人たちは、外出といえば、必ず帽子をかぶり、手袋をしていたものです。試しに、大正時代から昭和初期のころの写真を見てごらんなさい。酒屋の小僧さんだってちゃんと帽子をかぶってますよ。鳥打ち帽やカンカン帽、中折れ帽……みんなそれぞれの個性にあったものを選び、お洒落を競っていたんです。そのようにして他人の前と自分の寝室とはちゃんと区別していたのです。

そう、第二次世界大戦前まで、そんな優雅な美意識が確かに存在していた。けれど、軍人たちが、いきなり帽子を防空ずきんに変えてしまった。そして、その後に台頭《たいとう》してきたえせインテリたちが「シンプル・イズ・ベスト」をスローガンのように掲《かか》げ、簡素化したものこそがすばらしい、なんてわめきだしたのです。機能本位、便利さ、経済性。それだけ。

……阿呆《あほ》らしい！　シンプルと味気なさはまったく別ものだということもわからず、住まいも家具も食器も洋服もすべて、殺風景＝シンプルだと思いこんでいる単細胞の人がなんと多いことでしょう。

いつもいつも、栄養失調の貧乏神か不吉なカラスのような黒ずくめの服にノーアクセサリー。そんな間違いだらけの〝シンプルファッション〟は、若さという、何ものにもかえがたい宝石の輝きを鈍らせます。そうならないためにももう一度、本当の美意識とは何か、考えてみてください。

中原淳一が教えてくれた美しく生きるということ

私は常に前向きに生きてきました。ですからいつだって、こんな世の中でもいつかはよくなると信じてきました。でもね、最近の美意識の欠如というのは本当に目を覆《おお》いたくなるものがあります。みんなが加速度的におバカさんになっています。いい加減、嫌になってしまいます。

なにもかもお金、お金、数字だけが正義で、まったく文化を育てようとせず、小ずるい商売人が作ったくだらぬものだけがもてはやされる。本当に美しいものが抹殺《まっさつ》されて、人間のいちばん大切なものがスポイルされている今日このごろ。だからこそ、皆さんに心のおクスリをさしあげましょう。せめてあなた方には、この世の中を救うのはもはや〝美〟しかないのだということをわかっていただきたいから……。

この間違いだらけの時代に「本当の美の世界」を教えてくれる救世主。その名は中原淳一《なかはらじゅんいち》さんです。

美しくありたいと思う心から始まる

世の中が荒《すさ》んでいた終戦直後の昭和二十一年。中原さんはささくれだった人々の心に夢と希望を与えたいと思い立ち『それいゆ』を創刊しました。この『それいゆ』は私もモデルとしてお手伝いしたことがあり、一読者としてもいろいろなことを教えてもらいました。

雑誌自体が芸術なんです。挿絵のひとつひとつがため息が出るほど美しい。「お洒落な人とは美しくありたいと思う心が強い人。お金がかけられなくても、上手に美しい効果を見せられる人は天才」――そんな相手の心にすうっと入っていく優しい言葉で、たとえ六畳一間のさびれたアパートに住んでいようとも、お金をかけず手間をかけて楽しく美しく生きていくための智恵とスタイルを提案していってくれたんです。そのありあまる才能で原稿依頼、イラスト、服のデザインにヘアメイクすべてを手がけられたこの雑誌は、飢えた人々の心に潤いとツヤを与え、爆発的人気になりました。それに続いて『ひまわり』『ジュニアそれいゆ』も創刊して……。

私のホームグラウンドであったシャンソン喫茶「銀巴里」と中原さんの会社がごく近くにあ

昼の月（『少女の友』昭和10年７月号より）

『それいゆ』昭和30年冬号表紙

『少女の友』口絵

ったこともあって、中原さんとは公私ともに親しくさせていただきました。日劇ミュージックホールデビューや映画初出演のときは素敵な衣装も創ってくださったりもしましたし、当時、江古田にあった、それはそれはロマンティックなムードのお宅兼アトリエにも、たびたびお邪魔したけれど、読者を裏切ることなく、彼自身もとても美しく生きている人でした。

「もしもこの世の中に『色』がなかったら、人々の人生観まで変わっていたかもしれない」

そんな言葉を遺しているように、とくに彼の色彩感覚はそれはすばらしいものでした。着ている服の色使いの美しいことったら！　若く柔らかな心のころに中原さんの美意識に直接触れることができたのは、本当に幸せなことだったと思います。

荒《すさ》んだ心を癒す美しきロマンティシズム

先日、心ある人々の手によって、日本橋高島屋で中原淳一展が開かれました。案の定、たいへんな反響で、多いときは五千人以上もの人が会場に詰めかけたそうです。中には「今までこんな美しい世界が存在することを知らなかった」と感動して泣き出す女の子までいたといいます。一瞬の魔法のように、見る者をその世界のトリコにする、そんな天才は滅多に現れない。にもかかわらず、女子供相手の娯楽だからといって、中原さんの芸術的評価は高くない。私にはそれが腹立たしくてしょうがない。中原さんこそ最も絶大なる賛辞が贈られるべき芸術家なのに。戦後の荒れた日本で暴動が起きなかったのは、汚染されていない空や山川、美しくロマンティックな詞とメロディの流行歌と戦前のなごりの言葉づかいのほか、中原さんが美しいロマンを提供していってくれたからといっても過言ではありません。けれど、この日本という愚かな国はそれがわからない。国民全体の文化レベルが低いから中原さんのような天才が創り出した作品と業績が宝の持ち腐れ状態になっている。嘆かわしい限りです。

ワイドショーにしたり顔して出てくるコメンテーターたちも、なぜ現代の人々が、叙情画家の竹久夢二《たけひさゆめじ》や蕗谷虹児《ふきやこうじ》、高畠華宵《たかばたけかしょう》、初山滋《はつやましげる》そして中原さんたちのすばらしさを、心の奥底から本当の美しさを求めていることに、気がつかないのでしょうか。「今こそ中原淳一を見直すべき」とひと言いえば、こちらも見直してあげるのに（笑）。熟女バトルなんぞのくだらないけんかなんて取り上げている場合じゃないんですよ。そうやって世界はどんどん汚れ、下品になり、おかしくなっていくのですから。

魔除けどころか魔招きになりそうな、グロテスクなタレントのキーホルダーなんて世にも下らないものを買うお金があったら、中原さんの描いた絵、そのポストカード一枚買って部屋に飾ってごらんなさい。それがそのままあなたの美のお守りになってくれるはずですから。

人類は保護色の動物である

一九九九年には、とても悲しい別れがありました。「美しいものを世に広めていくルネサンスをいっしょにやりましょう」と約束していた大先輩、淡谷《あわや》のり子さんが亡くなってしまったのです。

淡谷さんはこの世の中にいちばん必要な「美意識」をたっぷり身につけていた人でした。

「死んでいく兵隊さんを見送るのに汚い姿は絶対にいや、せめて美しい姿で唄い送りたい。美しい日本の流行歌を聴いて、旅立ってほしい。そのためには殺されても構わない」という強い意志のもと、戦争中の慰問《いもん》で軍刀をつきつけられてもけっしてモンペをはかなかった。艶《あで》やかなドレスと化粧で、禁じられたブルースを歌うのをやめなかったのです。その反骨精神、その心意気。

そして歌い手としても松井《まつい》須磨子《すまこ》、佐藤《さとう》千夜子《ちやこ》、と流れる歴史の中でとても大きな足跡を残しました。だけど、あなたはそんな淡谷さんの歌声を聴いたことがありますか。もしなければ、日本人としてとても惜《お》しいことです。

淡谷さんの絶頂期の歌はとてもレベルが高く、上品な色香を発散させるものでした。だからこそみなさんも、もっともっとこういう上質さに触れてもらいたいと思うのです。

知的滋養が美しい保護色となる

私はかねてから「人間保護色論」というものを主張してきました。たとえば、カメレオンやヒラメやサンショウウオが保護色の動物だというと、みなさん納得しますよ。でも、人間もまたそれ以上に保護色の動物なのです。その人が置かれている住環境、使用している小物類、普段の会話、読んでいる本や聴いている音楽などが、そのまま滋養となり、見えない膜となってその人を包んでいるのです。色なき色となりその人を包み込み、その「人となり」を如実に語っていくのです。

「美輪さんはどこかほかの人とは違いますね。ふわっとなにかドラマティックな感じがするのはなぜなのでしょうか」

そんな質問をよく受けます。その答えがあるとしたら、それはたぶん私の日常生活にあるんじゃないでしょうか。私は若いころからずっと「舞台装置はこの世の中全部。私はその中でできるだけいい役を演じたいの」と寺山修司《てらやましゅうじ》さんが書いてくれた『毛皮のマリー』のセリフをそのまま生きてきたのですから。

目に見えないものの積み重ねが美を形作る

まわりの友人たちも素敵な人たちばかりでした。『黒蜥蜴《くろとかげ》』の脚本や、私をモデルにした『孔雀《くじゃく》』を書いてくださったりして、プライベートでもとても親しかった三島由紀夫さんをはじめ、江戸《えど》川乱歩《がわらんぽ》さん、東郷青児《とうごうせいじ》さん、横尾《よこお》忠則《ただのり》さん、寺山修司さん、澁澤龍彦《しぶさわたつひこ》さん、吉行《よしゆき》淳之介《じゅんのすけ》さん、幸田《こうだ》文《あや》さん、森茉莉《もりまり》さん……。彼らとの間で交わされる知的な会話がどれだけ私を鍛えてくれたことか。また彼らとのつきあいのほかに、泉鏡花《いずみきょうか》、芥川龍之介《あくたがわりゅうのすけ》など、読書が教えてくれた美しい日本語も、ひとつひとつ〝私の色〟に昇華していったのです。

耳からの刺激も大切です。タンゴ、シャンソン、ジャズ、ラテン、クラシック、各国の民謡や美しいものはジャンルに関係なくなんでも聴きます。

ショパンのノクターンやエディット・ピアフの「バラ色の人生」「愛の讃歌」「ミロール」。それこそ昭和初期の日本の流行歌や叙情歌を聴いてごらんなさい。どれだけロマンティックで優しく甘い心になっていくことか。

世の中には目に見えるものと見えないものがあって、肉眼で見えないものは粗略に扱われがちだけど、実はそういうものこそが美を形作るのです。そういうものの大切さがみなさんに伝わるまで、だから私は、〝美の伝道師〟として淡谷さんほか、先人たちの分までがんばっていかなければとつくづく思っているのです。

「新しく装えど、心古き女」の心意気

あなた方に私のとても好きな言葉を贈りましょう。

「新しく装えど、心古き女」

これは昭和初期、私がまだ幼いころに聞いてとても心に響いた言葉です。私の美意識にしっくり馴染《なじ》んで、以前書いた「東京」という歌詞の中にも取り入れているほど。古い歴史、日

本人としての美しい言葉遣い、立居振舞、すべての教養を修得し、美意識を育てたうえで、新しいものをとりいれる好奇心、心の柔らかさも忘れない。これこそが今、私があなた方若い人たちに最も伝えたいスタンスなのです。

虚飾に踊らぬためのセンスの基礎とは

みなさん、古いものというと「年寄りくさい」「時代遅れ」などと後ろ向きにとらえがちですけれど、けっしてそんなことはありません。古いものを温めるという行為は、新しいものに対する探求心、そしてそれを知ろうとする欲望の出発点になっているのですから。

それこそあらゆる美術工芸に接し、美しい音楽を聴き、演劇や舞踏にふれ、いい本を読んで女としての基礎工事をしっかりしていく。そういう中でセンスが養われていくし、そういう人が新しいものを身につけて初めて華やぎというものが出てくるものなのです。

だから基礎ができていないのに新しいもの、きらびやかなもので飾り立ててもそれは虚《むな》しく見えるだけ。猫に小判、豚に真珠、です。たとえばよく、ワイドショーを騒がせている女性たち。あの人たちは、ただいたずらにブランド品を身につけ一流を気取った気になっている。トークショーだ、ヌード写真だ、自叙伝だと金の亡者《もうじゃ》に利用されているけれど、私から言わせればあの人たちは単なるショーウィンドウの人形。なぜみんなあれほど虚飾をありがたがるのでしょうね。

それこそブランド品をこよなく愛しているようだけれど、あれはブランド品屋のマワシ者です。そろそろみなさんも、ブランド品にただ憧《あこが》れるだけのさもしい生活からは卒業してもいいんじゃないでしょうか？

もちろん、ブランド品の中にはすばらしいものもあります。でも、それがブランドというだけで漁《あさ》り、群がるのはもうおやめなさい。その姿は悲惨です。

一流の画家たちのことを考えてみてください。ピカソやダリだって全作品がホームランというわけにはいきません。それと同じ。ブランドデザイナーたちにだって、ヒットもあれば駄作もある。なのに、新作だ、雑誌に載った、芸能人の誰それが持っていたというだけで飛びつくのでは、野《や》暮《ぼ》天《てん》根性まるだしです。自分がいかに垢抜けていない女かということを世間に露呈しているようなものです。

某ブランドのみんな持ってるペラペラのナイロンバッグなんて、五万も十万もするんでしょう？　原価計算して御覧なさい、バカバカしくて笑っちゃいます。ブランドタグをありがたがる自分というものを、もう一度まっさらな心でふり返ってみてください。あれはただ、たとえば木村とか、小林というのと同じように、しょせんは他人の名前にすぎないのです。他人の名前のついたものを持って歩いているのは変だと思いませんか。怪《あや》しいと思いませんか。泥棒とマチガエられますよ。

美しく演出するには手間暇をいとわない

これだけ社会が飽和して物があふれ返っていると、みなさん、何を選んでいいかわからないと思うのですね。

ここ数年、原宿なんかを歩いてる十代の子たちの間で服を作るのが流行っています。自分で洋裁を習ってデザインしビーズをあしらったり、釣り糸でヒカリ物をつけたり。たしかに安普請《やすぶしん》だけど、すべてがオリジナル。私はそれをとてもいいことだと思います。そういう美しさに対する能動的な感受性を、今、大人であるあなたたちにも持ってもらいたいと思います。

もしも手先が器用じゃないというなら、町の小さな洋裁屋さんに頼んで自分だけのオリジナルの服を作ればいいじゃないですか。自分で生地を選んで「こういうふうに作ってちょうだい」という方法だってあるのです。昔は多くの人がそうやって手間暇かけて自分だけの服を作ったもの。ブランドのバッグを買うよりずっと安上がりだし、愛着もわく。上から下まですべてオートクチュール。世界に一点しかない最強のオリジナルブランドです。

洋服だけではない。たとえばお店だって、自分がそこにいて美しく映るそんなカフェやレストランにしか行かないようにするのです。十九世紀のフランスのサロンの女たちのように、照明や背景、調度品などすべて美意識にかなう、自分が美しく映える、厳しくそういう場所にしか身をおかないようにすれば、逆にいいお店はできてくる。洗練された街というのは、そうやって成熟していくもの。

自分で自分を美しく見せる演出をする。〝古い〟女たちというのは、そういうことにけっして手間暇をいとわず心を砕《くだ》いてきたのです。手間をかけたものこそすべての作品において、一級品となれるのです。

戦後崩れた、古い〝心〟をもう一度、見直してみる。そこから見えてくるものは、あなた方を今とは数段違う、高い美のステージにいざなってくれます。

めんどうくさがって利便性ばかりを追わず、手間暇かけて苦労して、「自分」という作品を完成に近づけさせていくのは、じつに楽しい作業なのです。

お洒落とは強烈な気迫でするもの

中にはスフィンクスみたいな人がいて、「どうしてそうなっちゃったんだろう」と、その前に立ち止まってその服装のナゾナゾを解きたくなるような人がいても面白いですし。

アスコットやロンシャンの競馬場で、昼間っから「えっ!!　あの大人しい人がどうして？」というふうに派手派手しく変身しているレディがいたりすると、これもまた周囲を楽しませてくれます。

ココ・シャネル本人のように、シャネルスーツの上にまるで中近東の金細工の出店が夜逃げをしてきたのではないかと思うほどアクセサリーを首にも腕にも幾重にも巻きつけ、指輪も両手にイヤリングも大ぶりに気前よくドスコイとつける方法などは、ウジウジしているところがみじんもなくて、いっそ思い切りがよく、気持ちのよいものです。つまり、お洒落とは「これでいいのよっ!!」と強烈な気迫でするものなのです。

すると、それを見た人たちは、少々へんちくりんな趣味の悪い格好でも、「あ、それでいいのだ」と別に疑問にも思わず納得してしまうものなのです。それを妙にウジウジと「これは趣味が悪いと言われるんじゃないかしら。このスカート丈がちょっと」などと自信なさげに着ていると、ハゲタカどもに、気にしているその部分を必ず見つけられ、非難の標的にされてしまうのです。

何はともあれ、本物の人間でお洒落な人は、自分自身がブランド物ですから、他人のブランド名を利用し、しがみつく必要がないのです。他人のフンドシで相撲を取る必要もないのです。むしろ、他人の看板は邪魔なのです。自分の名前の上に他人の名前が乗っかっていた場合には、「無礼者奴《め》、退《さが》りおろう！」と一喝するくらいの自尊心がなければ、一流のお洒落な人とは言えません。ただし、それにはそれにふさわしい中身と実績が要求されることもお忘れにならないでくださいましね。

「美」がこの世を活性化する

ＪＲ九州の日豊《にっぽう》本線に「ソニック」という、とてもカラフルな電車が走っているのを知っていますか。

〝ワンダーランドへようこそ〟というだけあって、客室もトイレも内装がとても楽しい。緑、赤、青……と、いろいろな色を使っていて、すべての背もたれにミッキーマウスみたいな耳がついているんです。この中にいると、旅の疲れもどこへやら。座っているだけでワクワクしてきて、旅に彩りを添えてくれます。こういう電車が誕生したのは嬉しいかぎりですね。

それに比べて、東海道や東北新幹線はまったく話になりません。美の対極に位置する、最も忌《い》むべき乗りものですね。何時間もの間、美しい色彩も情緒の微塵《みじん》も感じられない〝死〟のような灰色の箱の中に閉じ込められているだけで、不愉快でストレスがたまるというのに、強制的に猫背《ねこぜ》にさせられるイスの座り心地も最悪。足置きにいたっては、固定したまま。乗客には、背が高い人も低い人もいる。足の長さはさまざまだというのに、そんなこと一切顧《かえり》みていない。だから、車掌にうんと文句を言ってやりました。「これ、バカがデザインしたんじゃないですか」って。

どうして新幹線も「ソニック」のような遊び心のサービス精神を持てないんでしょうか。乗りものはもちろん、停車する各駅も、どこまでも殺風景で、目的地に降り立った喜びも何もあったもんじゃない。

とくに世界的にも最も劣悪なのが京都駅のホームの上に建った巨大なジュラルミンの下駄箱。あれを許可した市長や関係者、デザイナーたちは、日本文化の代表的な恥さらしどもです。京都市内の近代ビルも皆同罪です。見かけだけでも和《わ》洋折衷《ようせっちゅう》のデザインにすべきなのに、皆東京のウォーターフロントやダラス市などの近代都市のまねばかりとは無知無教養の人間のすることです。それではわざわざ世界中から京都に来る意味などまるでどこにもないじゃありませんか。

たとえば、東海道新幹線の、三島や静岡に茶畑や港や船の絵が描いてあったり、茶摘《つ》み女みたいに女装した駅員さんが立っていたりしたら、さぞかし楽しいことでしょうに。そうすれば、思わず降りてみたくもなるのにね。

あるいは、ヨーロッパのオリエント急行のような、いとも美しいブルートレインを作ってごらんなさい。海外からもわざわざ乗りにきます。間違いなく国内旅行客も増えるはずです。

マホガニーやウォルナットを使用したアール・デコの、ため息が出るような優雅な内装。そこで過ごすとなったら、おめかしもしたくなるでしょう。良い服も買わなきゃならない。いつもよりはちょっと高級なワインだって飲みたくなる。ことほどさように美がちょっと介在するだけで、連鎖反応で衣料も食料も売り上げを伸ばしていく。美がこの世を活性化するというのは、そういうことなのです。

社会そのものだって変わります。乗りものはもちろん、会社も学校も友達の家も、どこへ行っても美や遊び心がある。日本中がそうなれば、みんなノイローゼにもならないし、人殺しもしなくてすむ。忌まわしい少年犯罪だっておこらなくなるでしょう。そう。〝美意識〟というのは、贅沢なものでも、生きていくうえでの余剰のものでもない。それこそが世界を活性化させ、社会を変えていくうえで、空気や水のように必要不可欠な原動力になっていくものなのです。

その美の力を無視して、みんな目先の利益と機能性と利便性と経済効率という、数字ばかり追い求めているから、不安になってイライラしてしまう。そして、劣悪な環境を作り、知らず知らずのうちに精神までも病んでしまう。そんなに焦らず、急がず、少し立ち止まって考えれば、自分たちが悪循環に陥《おちい》っていることぐらい、すぐに気づくはずなのです。

生活に潤いを与える〝美の力〟

みなさん方の日々の生活にも、同じことがいえます。

ファッションや食事にお金をかけるので精一杯。だから住む部屋は、とりあえず暑さ寒さがしのげればそれでいい……という人が何と多いことか。たしかに、殺伐《さつばつ》とした部屋でも、暑さ寒さはしのげるかもしれない。けれども、そんな暮らしでは肝心の心の中に冷たい風が吹き荒れます。原始人の穴居《けっきょ》生活です。そして、そういう人に限って、食事はカップラーメンやジャンクフード、レトルト食品ばかり。飲むのはわけのわからない缶ジュース類。使うお箸はコンビニの割り箸。これでは筋金入りのみじめ三点セットです。

さらにいえば、その侘《わび》しい食卓を照らす照明は死体置場のような蛍光灯。これでは、精神的にどんどん荒《すさ》んでミジメになっていくだけ。何のために生きているのか？　この世に生きていて何が楽しいのか？　と聞きたくなってしまいます。

なにも、私は、もっと広い部屋に引っ越せとか、カップラーメンを食べるな、といっているのではありません。人にはそれぞれ事情というものがあるのですから。

でも、カップラーメンを食べるのなら、せめて温めたあとに自分の気に入った洒落たデザインの器に移して食べてみればいいのではないでしょうか。その傍《かたわ》らにロマンティックなスタンドをひとつだけでも置いておけば、昼光色の温かい光で侘しい食事がどれだけ楽しく、豊かになることか。そこでまたちょっとＣＤのスイッチを押し、ムードミュージックや叙情歌集やクラシックなどの美しい音楽を流してごらんなさい。たったそれだけの、ほんのちょっとしたことだけで、それまでの殺伐とした雰囲気が一変するはずですから。

手間もお金もいりません。器やテーブルセッティング、照明、ＢＧＭを少し工夫するだけで、いくらでも心に潤いは出てきます。私がもう何十年も言いつづけてきたように、美の力はそれほど偉大なのです。そして、これこそが生きることを活かす、つまり生活というものなのです。

美を創造する楽しさを知る

「お金がないから……」それを、殺伐とした精神や生活の言い訳にする人は大勢います。でも、だったらスタンドのかさぐらい自分で作ればいいじゃないですか。アンティークショップのバーゲンや、百円ショップに行ってごらんなさい。格安のスタンドなんていくらでも手に入る。それにお気に入りのハギレでも貼り、リリアンの房飾りをつければ、素敵なオリジナルスタンドが作れるでしょう。ＣＤだって、買うお金がないっていうなら、図書館に行って借りてきて録音すればいいでしょう。

どうです？　「お金がない」なんてもう言えなくなったでしょう。何でもお金のせいにするのは、人間の生活の仕方を知らない、無知で怠けものの人がすることです。

タンスやベッド……家中のものを、すべて「便利だから」「安いから」という基準で選び、そういうものがあふれていくにしたがって、あなたがたの心もどんどんささくれ立ってくる。〝安物買いの銭失い〟とは、そういうことなのです。銭だけでなく、情緒も心も失うのです。

心の大切なものまでも失ってはいけません。心が完全に干からびる前に、生活圏内に美しいものを探し、あっちもこっちも、あれもこれもと創作していく楽しみを知ったら、これまでのただ単なる人糞《じんぷん》製造機のような味気ない生活に費やした時間がものすごく惜しくなってくるはずです。

だからこそ、醜いものにお金を使う時代はもう終わり。さっそく、新しく美しい器を選んでみてください。

第三章

俯瞰で見た日本

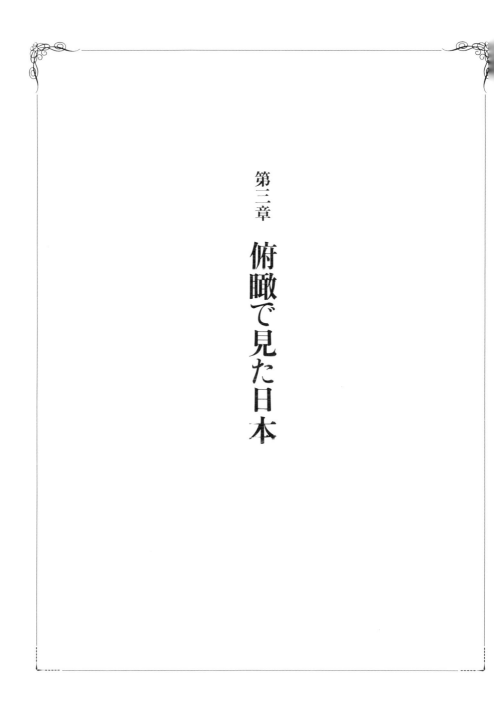

俯瞰で見た日本

小学校の一～二年のころ、日本画に凝《こ》っていたんです。家の斜向《はす》かいに美術骨董品屋がありましてね。そこは狩野芳崖《かのうほうがい》や探幽《たんゆう》の絵がおいてあるようないい店だったから、毎日通っていたんです。あの芳崖の絵の美しさは今でも鮮明に覚えています。

そんなこともあって、自分でも日本画を描きたいと思い始めたんです。縁あって、林寿子《はやしとしこ》さんという方に教えてもらうことになって。あれはいい経験でした。上村松園《うえむらしょうえん》、伊《い》東深水《とうしんすい》、土田《つちだ》麦僊《ばくせん》、中村大三郎《なかむらだいざぶろう》……多くの名画に出合うことによって、私の美意識も鍛えられていきました。

そうなってくると、今度は着物の図柄や文様、くしやかんざしにも興味が湧いてきて、図書館に行っていろいろな事典や解説書を調べたりして楽しかったですよ、あのころ。まだ、小さかったけれどね。天才だったんです、私（笑）。いや、天災かしら？（笑）。

俯瞰《ふかん》しないと真実は見えてこない

日本画をやっててよかったなと思うのは、物事を俯瞰で見ることができるようになったこと。源氏物語絵巻や屏風《びょうぶ》絵なんてその最たるものでしょう。だから、舞台でも客席からもうひとりの自分が観ているつもりで演じてゆく。ある演出家が、いみじくもこう言ってました。「美輪さんは、演出家の視点から芝居をしている」って。言い得て妙ですね。

たとえば、一軒のアパートの中でも、同じ時間帯に憎み合っている人、寝ている人、呑気な人、セックスしている人……さまざまな人が同じ時間を生きている。世界はオムニバス。そう思って、私は芝居作りをしているわけです。

舞台だけじゃない。世の中だってそう。

山一証券が潰《つぶ》れたとき〝もう世も終わりだ〟〝近々、世界恐慌がやってくる〟なんてマスメディアにあおられて、みんな青くなっていたけれど、証券会社だって大小百二十社以上あるんですよ。

証券会社のひとつやふたつ潰れたって、どうってことない。そもそも一夜で大きく上がったり下がったりするヤクザなトバクに社会が頼っちゃうほうがおかしい。いったい国民の何パーセントが株を持っているというんでしょう？　競輪、競馬、パチンコ、ルーレットと同じ不健全で危険きわまりないものが、世界の経済の基盤となって市民権を得ていることに誰も疑問を感じていないなんておかしいんですよ。

結局のところ、経済人も政治家も評論家と称する人たちも、同心円上をぐるぐるまわっているだけ。落ち着いて向こう岸から見ようとしないから、真実が何も見えてこないのです。

結果を急がず冷静に見つめる

今でこそ、こんなに豊かになった日本だけど、戦前の、ついこの間まではものすごく貧乏な国だったんです。

私が子供のころなんて、誰か靴を三、四足もっているだけで、〝お金持ち〟という目で見られたものです。家にお風呂や電話があればそれだけで尊敬されたんですから。ステーキやスキヤキですら、一年に一度でも食べることができたらすごいことでした。

学歴だってそう。小学校を出ていれば十分だった。うちの母が女学校（現在の高等学校）を出ているだけで〝あそこの奥さんはインテリだ〟と、言われたくらい。

一部の大金持ちをのぞいて、ほとんどが貧しかった。その貧富の差の烈《はげ》しさといったら、たいへんなものでした。みんな今の状態をあたり前だと思っているけど、庶民がこんなに豊かになったなんて、長い日本の歴史のなかでほんの短い最近のことなのです。

関東大震災で東京中がぼろぼろになったとき、第二次世界大戦で日本の大部分が灰と化したとき、長崎や広島が原爆でゼロになってしまったときのことを、想像してみてください。

それに比べれば、今の不景気なんて、憂《うれ》うに値しないものでしょう。日本人は生命力が強いから大丈夫。いずれ必ず立ち直ります。

　とにかく今の人たちは、結果を急ぎすぎるように思います。

　誰もがみんな最初に器を求めるけれど、順番が逆なんです。それぞれの家庭の潤《うるお》いや、美しいものを美しいと感じられる心、ほんとうの意味での知識・教養のレベルをあげていくことにまず努めなくては。そのあとでそれに準じた器を作っていくべきです。最初にソフトありき。ハードはあとからついてくるべきものなのです。日本は今までそれがあべこべだったのです。

　少し離れて冷静に物事を見ていくと、そういうことがおのずとわかってくるはずですよ。

だが、ゆっくりではあるけれど、世の中はむしろよくなってきている。だって、これまでは日銀も大蔵省もエリートの頂点のように崇《あが》められてきたわけでしょう。ところがどっこい政官財界、そこの内側で何が行われていたのか。うすうす感じていながら、誰もメスをいれようとしなかった。

でも、ここにきてようやく、マスメディアの発達のおかげで、ずっと隠蔽《いんぺい》されていた悪事が明るみに出てきました。間違った価値観の幻想を正そうという風潮が生まれ、不条理なことがすべて道理にあうようにぼつぼつではあるけれど動き出して、ほんとうによかったと思う。

俯瞰で世の中、見てごらんなさい。ロシア（旧ソ連）だって、つい数十年前までは、約八十パーセントの国民が農奴《のうど》だったのですから。人類はどんどんいい方向に向かっているんですよ。

レディ・イズ・ア・ドール？

小《お》渕《ぶち》恵《けい》三《ぞう》さんが首相になって、新しい内閣が発足したときのこと。自民党のお偉方たちは「今度こそ日本を変える」と相も変わらぬきまり文句をのたまっていましたが、本当に皆さん学習能力のない人ばかりですね。何度、新しい内閣をつくったっておなじこと。根本的なところでは少しも変わってないんですもの。顔ぶれを変えるより、行政機構改革や、意識と中身を変えていく努力をしない限り、この国は何も進歩しやしないんです。

「文化」がその国のバロメーターとなる

日本人に今、いちばん欠けているもの、それは文化を尊ぶ心と理知でしょう。いったい、この国に、文化を、芸術を心から愛する政官、財界人が何人いるのでしょうか。彼らの理解や見識のなさは、あまりにひどすぎます。野蛮そのもの。

海外に日本の文化を紹介するというとき、彼らがまず思いつくのは大相撲と歌舞伎と能。その歴史と伝統だけが日本の文化だと思いこんでいます。それこそバカのひとつ覚え。向こうだって「古典はすばらしい。でも、現代の日本の文化をもっと知りたい」と言う。その証拠に、新しい文化に触れると「日本には、こんな感性もあるのか」と拍手をもって受け入れてくれるでしょう。北野武《きたのたけし》の『HANA-BI』も然《しか》り、今村昌平《いまむらしょうへい》の『うなぎ』然り。蜷川幸雄《にながわゆきお》の演劇然り。

でも、せっかくいいものが育っていても、政官、財界人たちはそっぽを向いたまま。「伝統

や格式」がないからという理由だけで、応援をしない。大々的に支援して、世界にアピールしようとはしない。悲しいかな、皆、常日ごろ文化と接していないし、鑑賞する眼も持っていないから〝伝統〟という裏づけだけがたよりで、自信を持って「すばらしい」とは言えないんです。その反面、ハード面にだけはやたらと力をいれる。

たとえば劇場。東京に新国立劇場ができました。だけど、演出家がいない。戯曲を書く作家もいない。劇場専属のオーケストラもない。……器だけ整えても、まともなソフトはひとつもないの。そして、それを育てようという努力もいっさいしない。一事が万事、いたずらに形から入るだけ。だから、そこには何も生まれてきません。

首脳会談で写真をとるとき、なぜいつもフランスの大統領が真ん中にいるか知っていますか？　国力だけでいったら当然アメリカ大統領が真ん中に来るべきでしょう。なのにフランス大統領が堂々と中心にくるのは、彼らが自他共に認める「文化」を持っているから。誇るべき文化が、民族のバロメーターになる。それがワールドワイドな価値基準なんです。

なのに日本は経済成長を至上のものとして、数字ばかりが正義として、金勘定ばかりに一生懸命になっているから、バカにされていつまでたっても認めてもらえない。外見だけは立派だけど、芸術について知識がゼロの人たちが理屈だけを聞きかじって、芝居づくりや役者のことをなんにも考えずに作った日本の劇場は、世界のアーティストたちの笑いもの。そんなことじゃ、いつまでたっても日本の首相は世界のはしっこです。これからの世界を生き抜いていくには知性と文化が必要なのです。そのためには、もっと皆が成熟していかなくてはいけません。経済的には世界第二位でも、文明はやや上位でも、文化では世界の下位の部にランクされているのですものね。

成熟した社会は成熟した人間が作る

フランス人が大人っぽいといわれるのは、幼いころから〝独立した大人〟として扱われているから。むこうの親は、日本人のように子供を〝愛玩物《あいがんぶつ》〟として扱いません。以前、セーヌ川のほとりを歩いてるとき、珍しく大きな声で泣いている女の子を見ました。そのとき、その子の母親はどうしたと思いますか？　幼稚園くらいの子に向かって「あなたはレディでしょ。レディがそんな泣き方をして、おかしいと思わない？」と静かに言ったのです。そしたらそれまで泣きわめいていた女の子は、ふっと我にかえって、ちっちゃなハンドバッグからハンケチをだして涙をふきました。母親はそれを見て「ブラボー。あなたは立派なレディです」と微笑んでいた。……どう？　こういう躾をしていくからこそ、おのずとたしなみが身についてくるんですよ。

それに比べて、幼稚なことが美徳と考え、目に映るものはすべて「かわいい！」ですます、日本の女の子たちはどうでしょう。彼女たちの手にかかると、こぎたないおじさんまでもが「かわいい！」になってしまう。いわれるほうは嬉しいし、いってるほうも楽しいでしょうけど、それはとてもレベルが低いこと。そこいらを考え直さないと、いつまでたっても成熟した社会にはなれない。日本がバカにされる理由はそこにあるんです。日本以外の国では、可愛ぶった、鼻にかかった高いカナ切り声の話し方は、アホウでバカだと思われるのです。日本の男たちは、幼稚で自信がないので、大人の女性は苦手なのです。自分よりバカに見える女を見て優越感を感じ、可愛いというのです。そういうくだらない男たちにもてたい一心で、どんどんバカになっていく必要がどこにあるというのですか。

もはや頭でっかちで幼児癖のある政治家やえせ知識人たちに何を期待してもダメ。彼らにはこの国は変えられない。変えることができるとしたら、それは、まだ頭も心もじゅうぶん柔らかいあなたたちです。それを忘れないでください。そして、貴女《あなた》方が理想的な女性としてお手本にすべき人は、美智子皇后です。けっしてワイドショーなどを騒がせているオバタリアンなどではありません。気品に満ち、優しく、思いやりがあり、エレガントな立居振舞とそして宮内庁を敵にまわしても子育ては自分の手で、という母性愛と強さ、天皇が暴漢に襲われそうになったとき咄嗟《とっさ》にかばおうとなさった無償の愛の尊さ、謙虚さ、音楽もピアノをたしなみ、家族で室内楽を楽しむ。美術、文学にも教養百般。みなさん、あの方がテレビに出られたときは、ぜひご覧になって、自分を正す参考になさってください。

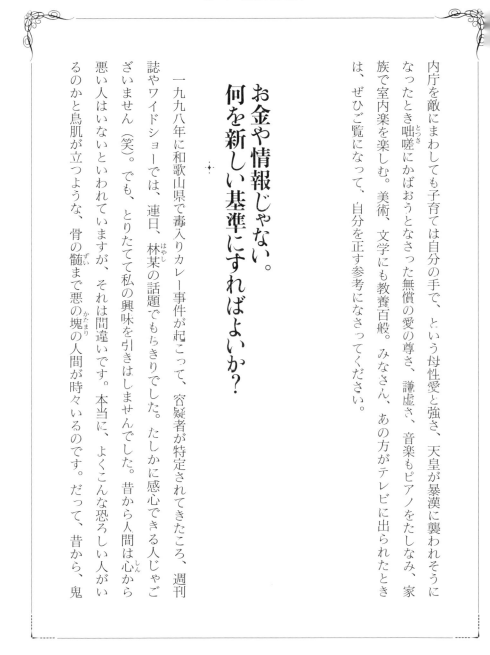

お金や情報じゃない。何を新しい基準にすればよいか？

一九九八年に和歌山県で毒入りカレー事件が起こって、容疑者が特定されてきたころ、週刊誌やワイドショーでは、連日、林《はやし》某の話題でもちきりでした。たしかに感心できる人じゃございません（笑）。でも、とりたてて私の興味を引きはしませんでした。昔から人間は心《しん》から悪い人はいないといわれていますが、それは間違いです。本当に、よくこんな恐ろしい人がいるのかと鳥肌が立つような、骨の髄《ずい》まで悪の塊《かたまり》の人間が時々いるのです。だって、昔から、鬼神のお松や妲己《だつき》のお百、西太后《せいたいこう》、江青《こうせい》女史、チャウシェスク夫人といったような悪女や毒婦はいたわけだし、そこになんら新しい情報はないし、けっして珍しい人じゃないもの。結局、動機はお金、ただそれだけ。金丸信《かねまるしん》や尾上縫《おのうえぬい》、商工ファンドの泡吹きオジサン、横井英樹《よこいひでき》そのほか、後ろに手がまわった銀行屋や大蔵省のお偉方となんらかわりないでしょう。とにかく金、金、金、金……（苦笑）。

　そしてまた、そういう情報を提供するマスコミだって、人のことは責められない。昔のマスコミはそれぞれの社の主義やイデオロギーがきちんとあって、何を言いたいか、何を伝えたいかが、はっきりとしていた。世直しをしなければという理念があったんです。でも、今はもうダメ。何も期待できない。どうやって発行部数や売り上げを伸ばすか、それしか考えていない。それには、人々を不安に落とし入れること、悪意に満ち、下品で下劣で妬《ねた》み、嫉《そね》み、ひがみで紙面を満たすこと。お金のためなら、メディアとしての美意識も恥も誇りも捨てる。もはや見栄も外聞もなくなっているんです。

不透明な情報には惑わされない

巷には、いろいろな情報が流れています。でも、それにいちいち反応し、踊らされていたら、キリがありません。

もう何年も「不況だ、不況だ」と騒がれているけれど、はたしてほんとうに世の中は不況でしょうか。もちろん、それはそうなのですが、一方でネタがないから不安材料をかきたてるために煽《あお》っているだけのような気もしてなりません。誰かが、陰で都合いいように、情報操作しているだけ。だから、そのまがまがしい情報にのっちゃいけない。大騒ぎしているのは株を持っているお金持ちと証券会社だけ。いくら騒いでも、日本の国民の預貯金総額はまだ一千兆円以上もあるんです。かつてのアメリカのように預貯金が底をついたのなら、それは正真正銘の不況。だけど、現在の日本はお金が潤滑に動いてないだけ。

そもそもおかしいと思いませんか？　一夜で上がったり下がったりして、株なんてバクチみたいなものなのよ。会社の実績なんて関係ない。ウォール街でサギ師がちょいとデマを流したら、そのたったひと言でガタガタになってしまうような脆《もろ》いもの。要するにただのバクチ。世の中全体がその異常に気がついていない。これはとても恐ろしいことです。そんなうたかたの幻想を信用し、絶対の重きをおいて、経済の基礎にしている日本はいったいどういうつもりなのでしょう。一部のマネーゲームの亡者たちやウォール街の連中がマスコミを通じ、私たちを騙《だま》しているだけなのに。世界中が競輪、競馬に狂っているようなもの。病んでますよ。

経済や政治の問題だけじゃない。それこそ、芸能情報といわれるものも、言葉で巧みにすり替えられていくのです。たとえば、ふたりのスターが愛し合って、同棲していたとするでしょう。スターだって人間です。それは人間ならごくあたりまえのこと。けれども、マスコミを通すと、「露見した」「明るみに出た」と、あたかも事件が発覚したような、まるで殺人でも犯したかのような書き方をされてしまう。あえて発表する必要もないから、黙っていただけ。別に隠していたわけでもないのに、悪意をもって書かれてしまう。とても下劣なことだと思いますね。日本のマスコミは根っこの品性下劣な部分をたちきらない限り、健康にはならないでしょう。

とにかく、そんなまがまがしいマスコミを世の中は信用しているのです。「新聞で読んだから」「ワイドショーでやっていたから」「雑誌でみたから」なんて言葉、私は大嫌いです。腐ったマスコミの不透明な情報を生きる目安にしているなんて、危ないことですよ。○○の評論や批評を見たからという人も中にはいますが、その評論家というのが曲者《くせもの》なのです。あらゆるジャンルの評論家は、小林秀雄《こばやしひでお》さんはじめごくわずかな人たちをのぞく、ほとんどの評論家は、それぞれ評論している芸術、政治などすべてのジャンルにおいて、その道の成功者になりたくてもなれなかった、なりそこないの連中がする商売なのです。

つまり、その結果が善かれ悪しかれ、とにかく他人の血と汗でできた作品を、自分は何もせず、だらりと横になって悪夢のような寝言を言っているだけにすぎないのです。つまり、他人の仕事に寄生して食事代にありついている寄生虫パラサイトなのです。そして、その寄生虫が発する言葉や文章は、自分がなりたくても一流になれなかったための僻《ひが》み、妬《ねた》み、嫉《そね》みの恨み言なのです。

ほとんどが人格的に問題がある、そんな寄生虫のたわ言に左右されてはいけません。批評家や評論家という仕事は、それこそなければよい、またなくても世の中はちっとも困りもしない無駄な仕事なのです。

自分の内なる声に耳を傾ける

では、何を新しい「生きる基準」にすべきなのか。

答えは、あなたたちひとりひとりの心の中にあるのです。私がお芝居や歌を通して、愛を説いているのはそのため。もうそろそろ気づいていただいてもいいころでしょう。

みんなが自分の、生まれたころの無垢《むく》な心の声に耳を傾け、清らかで優しい透明なものに目を向けるようになれば、世の中はきっと和やかでゆったりと愉《たの》しくなります。レースのカーテンやお人形や、可愛く優雅なこまごました身の回りの日用品や装飾品、雑貨など……。そうしたら、おのずと滞っていたお金の流れもスムーズになるはず。銃や弾薬じゃない、愛や文化こそが適正なお金を生み出すのです。

集団としてまとまりにくい、世の中の動きに醒めている、と若いあなたたちを非難する大人は多いけれど、私はそれはむしろ長所だと思います。国や企業にとっては不都合なことだけど、国民ひとりひとりにとってはとても健康なことだから。「右向け、右」の軍国主義になってしまうより、どれだけましなことか。

実は、日本人はもともとまとまらない民族です。多種多様さは日本人の資質の原点なのです。大人たちはそれに気づいてないだけ。試しに、食べ物屋さんをのぞいてごらんなさい。中華料理、フランス料理、イタリア料理、インド料理、トルコ料理、ベトナム料理……。いったい何ヵ国の料理がありますか？　ひとつのレストランに入っても、すし、そば、カツ丼、ラーメン、オムライス、カレー、パスタと、数え切れないメニューが並んでる。恐るべき多様性をなんの混乱もなく冷静に消化し、受けとめているんです。まったく不思議、けれども愛すべき豊かな国……。そういう部分にもう一度、目を向けてください。みんな物資の豊かさを勝ち取ることだけに必死になって、その豊かさの質、内容をどう楽しむかをわかっていないのは、とても残念なことです。

食べ物だけではない。古今東西の衣服、言葉、音楽あらゆるものの中から美しいと感じるものを選びとって、実際に積極的に生活にとりいれてゆく。そうすればどんな時代にあっても、きっと豊かな人生を送っていけます。あふれるインチキ情報に惑わされないで、自分の中で許せるものだけを信じていけば、たしかな美意識が育っていきます。充実した人生を送ることができます。

どんなブランドを持つよりも お洒落な、知性を持つということ

私が世の中で軽蔑しているのは、ファッション評論家という人種たちです。あのテレビや雑誌なんかのファッションチェックというのは、よけいなお世話です。自分の不様なことを思いきり棚にあげて、他人《ひと》様《さま》のファッションを「バッグが服とあっていない」「ブランド品で統一

しすぎ」などと好き勝手に評しているけれど、私はあれを見ながら思います。

「じゃあ、てめえはどうなんだ？　他人のふんどしで相撲をとっている情けない〝ふんどしファッション〟じゃないか」ってね。

鬼の首でもとったかのように、他人の服装を「野暮の骨頂だ」なんて言うほうがよっぽど下品。育ちがよく、上品で、本当にお洒落な人は、けっして他人の服装についてとやかく言いはしません。世の中の人間には、千差万別の育ち、好み、経済事情があるのです。

チェックされるほうも問題です。さんざんこき下ろされているのに、もじもじしている。なぜ「失礼じゃないですか。下がりなさい！」と毅然《きぜん》といえないのでしょう？

「個」は自分の力で確立するもの

この自由民主主義の時代に、他人様が何を着ようが、選ぼうが、自分とは関係ないじゃありませんか。趣味が悪かろうが、よかろうが、それはその人の自由。これ、と限定できる美しさなんてない。なのに、ファッション評論家たちという単なるヤジウマの言うことが「もっともだ」と思われてしまう、ファッション産業の提灯《ちょうちん》持ちのひと言が権威をもって迎えられてしまうのはおかしい。なぜそこに疑問をもたないのか。もちろん、友達同士で「あの人の格好変だね」「趣味が悪い」という会話はあってもいいでしょう。〝人の不幸は蜜の味、人の幸せシャクの種〟といいますからね、楽しいものでしょうよ。その人たちの個人的な生活の中で行われることなら。だけど、それを公の電波にのせて放送したり雑誌に載せたりするのは、ファシズムですよ。危険な兆候です。これはもう評論家ではなく、思い上がったファシストです。独裁者です。ヒットラーやチャウシェスクです。

そもそもみなさん方の中にも、自分の意思というものがない人もまた多すぎるんです。グレーが流行れば、なんの理念もなく判で押したようにグレーを着て、その結果、街が雑巾《ぞうきん》だらけになってしまう。スリ切れたホウキの怨霊《おんりょう》のような髪型が流行れば、みんながみんな何の実験に失敗したのですか？　と聞きたくなるようなひどいカッティングになる。なぜ？

もういい加減、右を見て左を見、まわりに従うのはやめなきゃ。〝個〟というものは自分の力で確立するものなんですよ。また、その〝個〟は、〝孤〟でもあります。〝群れ〟ではありません。

あなた方がそうやって周りに流されていると世の中はたいへんなことになってきてしまうのです。

お洒落な感性は時代の流れにも敏感になる

このままだと歴史はまた戦争を繰り返します。心ある人はわかるはずです。

たとえば先の小渕内閣がやったことを冷静に考えてごらんなさい。盗聴法《とうちょうほう》という恐ろしい法律を通したら、次に「君が代」の〝君〟は天皇陛下のことを指すと法律で定めちゃったんですよ。それが何を意味するか、わかってますか？　お気の毒に、せっかく平和に暮してらっしゃる象徴天皇を主権者として造り変えるようなもの言いは、また君主主義と軍国主義に近づいている、ということだったのです。果ては開きなおって、国民を統括できるように背番号制を導入すると言い出す始末。これで小沢一郎《おざわいちろう》の子分で、小沢氏のゴリ押しで防衛政務次官になった西村真悟《にしむらしんご》が、うっかり本音を洩《も》らし、「北朝鮮（朝鮮民主主義人民共和国）の船は撃沈せよ。核爆弾を日本も持て。有事の際は軍隊出撃すべし」と言ってすぐクビになったのがいい例です。もし憲法改正をして徴兵制が取り入れられれば、もはや第三次世界大戦前夜じゃありませんか。

戦争というのは軍需産業の連中と政財界の連中が甘い汁を吸えるようになっているから起きるのです。だから、みんなもう戦争がやりたくて仕方ないんです。儲《もう》かるんですもの。

彼らは、そのためにはあなた方のお父さん、兄弟、ボーイフレンド、将来の夫や生まれる子供だって、国に兵隊として持っていかれて死んでも、そんなことはかまわないのです。ですから、あなた方も、プラダだ、エルメスだなんていっている場合じゃない。自民党や自由党、公明党のやっていることが、いかにおかしいか、今こそ考える知性を持たなきゃ。もんぺをはかされ竹やり持たされてからじゃ遅いんです。

何も考えず、新聞も読まず、ニュースにも耳を傾けず、ただその日その日を楽しいことばかり追いかけてのんべんだらりと生きていく。そういう態度が悪徳政治家たちにどれだけ都合がよいことか。そしてそうやって死の商人たちは戦争を繰り返してゆくのです。

でも、まだかろうじて間に合うかもしれない。今なら、ケガをしなくてもすむかもしれない。だからみなさん、一刻も早く気がついてください。盗聴法を例にとるまでもなく、衆愚《しゅうぐ》政治の結果、不景気や就職難、いろいろなところにシワよせがきているのだから。それを早く見極めて。第二次世界大戦のときのように明日開戦になるまでみんな気がつかないなんて、恐ろしすぎるでしょう。世の中はものすごく不気味な時代になってきているのです。

傷つく前に手をうたなきゃ。自分たちのことは自分たちで護《まも》っていかなくちゃ。選挙だってもっと考えて投票しないと。国民のことをちっとも考えていない自自公なんてめちゃめちゃにして、まったく新しい政党を自分たちの手で作ってしまう。そうすれば、パソコン、インターネットなどと、ソフト開発競争の時代に背を向けた十九世紀にしがみついている時代錯誤の戦争マニアのジジイどもも、「国民をなめたらえらい目に遭《あ》う」と、今度こそ衿《えり》を正してマジメに、行政改革をうやむやにせず、ちゃんとやるようになるでしょう。そのほうが、彼らのためにもなるのです。どんなブランド品を持つよりも今それがいちばんお洒落なことだと私は思います。

とにかく、私は私。ひとりででも布教していくしかない。私の価値観の、美意識の集大成である舞台、唄や芝居、講演、出版……そこに込めているメッセージを、ぜひ読みとっていただきたいと切に思うのです。

第四章

お洒落な知性

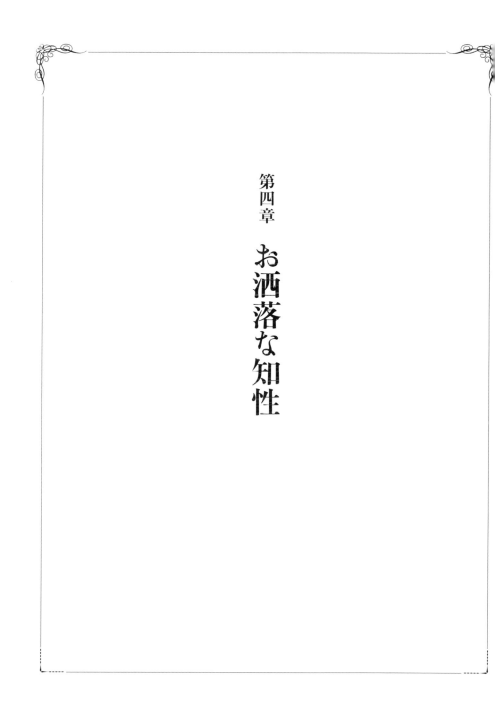

復活。リリシズム

私がなぜ自分の舞台をカラフルにファンタスティックに演出するか。それは、みんなにロマンを感じてもらいたいからなんです。

日本のえせインテリたちは、これまでずっとロマンティックなものを俗悪または通俗的なものとして全否定してきたでしょう。〝センチメンタルなものは、ウェットでいけない。それよりも辛めでクールなもの、枯れた感じこそがすばらしい〟という具合にね。叙情的《リリシズム》を軟弱なものとして、ひねりつぶしてきた。そしてその悪しき風潮が、世界の文化を、ひいては日本全体をもダメにしたんです。だって、そうでしょう。枯れ木やドライフラワーが私たちに何を与えてくれます？　みずみずしくて、潤いがあるからこそ、花の命が、美しさが、活き活きと心にしみるんじゃないでしょうか。

情緒障害にならないために

たとえば、オフィスビルもマンション、アパートも含めた建築。長い間、経済効率と利便性、機能優先で無機質なものをありがたがって、材質から何から人間にとって必要なものをすべて排除してきたでしょう。その結果できたものはまるで刑務所。ガラスと鉄とコンクリートの打ち放しの壁の中で生活してたら、そりゃあ、情緒障害にも、病気にもなるでしょう。これまでありえなかった凶悪犯罪が増えてしまったのも当然です。だって人々は刑務所の中で生活しているんですから、それにふさわしい犯罪者になってしまうのは当たり前なのです。

教育だってそう。戦前までは〝人さまに迷惑をかけない立派な人間になるために勉強しなさい〟といわれてきた。シンプルに人間の本質を追究してたんです。だけど戦後はどうでしょう。〝いい職業について、お金持ちになるために勉強しなさい〟ですからね。動機はお金のみ。ロマンとかリリシズムを一切排除していったのだから、優しく、強く、温かい叙情的な人間になんて育つはずもない。そして、そうやって、めでたく東大に入った人たちが、新興宗教に入って罪を犯したり、または評論家と称して〝情緒にかたよりすぎでよくない〟なんて言い出す。……まったく。ドラマのなんたるかもわからずに、何をいってるんだか。消しゴムで消してしまいたくなります。

日本製のオペラなんていわれるものも、ろくなものがないでしょう。どれも無味乾燥で退屈極まりない。ヴェルディーや、プッチーニのようにドラマティックでロマンティックで叙情的で美しいメロディはないし、衣装も汚い。音楽、装置、照明、演技、演出が同じ力量でぶつかりあってこそ、すばらしい舞台なのに。目に見えるものもうんこ、耳から入ってくるものもうんこ、とにかくうんこだらけ。その道の大御所たちなんて、あの連中を肥溜《こえだ》めに戻してあげなさい。世の中また美しくなります。

日本が文化の発信地になる

人間が生きていくうえで、いちばん必要なもの、それはドラマだと思うんです。身体にビタミンが必要なように心にもビタミン、つまりロマンティックなドラマが必要なのです。だけど、悲しいかな、みんなドラマを自分たちと切り離したところで考えている。いくら素敵な舞台を観ても、観客として座席で味わうだけ。それを、自分の手元へたぐり寄せて、自分の生活を楽しもうとはしないんです。砂を噛《か》むように、味気ない、メカニックな生活をして、当たり前だと思っている。そうじゃない。誰だって、ドラマの中に存在する。人生はドラマ。みんなその主人公になれるんですよ。それを忘れちゃ、絶対にダメです。舞台装置は貴女《あなた》が今いるオフィスや遊び場で、貴女が身につけている服装やアクセサリーが舞台衣装なのです。貴女が聴いているＣＤがテーマミュージックや効果音です。そして、貴女の身の回りにいる家族や友人や恋人、またはオフィスの上司や同僚たちは皆、共演の役者たちです。

しかし、今の日本の状況は、けっして絶望的なものでないと思うんです。一部ではあるけれど、若い受け手たちはだんだん成熟していっているのもまた事実ですから。

戦後、衣食住のすべて何もかもないないづくしの貧しい時代を生きてきた世代と違って、今の若い人たちは生まれたときから豊かだった。物心ついたときは、文明が成熟していた。ラジオやテレビはもちろん、ビデオも映画も、あらゆる娯楽が楽しめて。空気と同じように、いろいろなものを享受してこられた。この状況はかつてもあった。まさに、元禄《げんろく》の伊達《だて》者《もの》の感性なのです。そして成熟ゆえに花開いて然《しか》るべきものです。

かつてあれほど華やかだったパリが、今、ダメになっています。ファッションも文学も建築も、もうかつての勢いはないでしょう。あれも、文化が成熟しすぎて、えせインテリが台頭《たいとう》してきたためなのです。理屈ばかりの頭でっかちからは、けっしてドラマは生まれません。私は、今のパリの情況をひそかにアステカ現象と呼んでいるんです。もはやメキシコのアステカ文明やインカ文明と同じ運命を辿《たど》るしかない。あとは滅びるだけ……。エッフェル塔もオペラ座も近い将来、遺跡と化してしまうでしょう。

じゃあ、パリやアメリカに代わる文化の発信地はどこか。ロンドン？　ミラノ？　いいえ違います。それは日本です。微細な感覚を享受し、生活に生かす。それこそ、元禄の伊達者の感性でね。私たち日本人はそのすばらしい資質を持っているんです。それはもう理屈じゃない。歴史が、伝統が、細胞がそうなっている。ただ、これまでえせインテリたちに邪魔されて大切な資質を皆眠らせてしまっていただけなんです。今の若い人たちと喋っていて、たしかにその可能性を感じるんですよ。日本は今、経済は世界第二位でも、文化水準は最下位に近いところに位置づけられています。でも、それは、見方を変えれば、完成までの可能性が残されていて、まだまだ発展していく楽しみがあるということでもあるのです。

日本はきっと世界の文化の発信地になれる。その担い手は、あなたたちなのです。

複雑で繊細な日本語を使いこなすことの愉しみ

美しい人と醜《みにく》い人、富める人と貧しい人……最近、すべてがボーダーレスになってきていると思いませんか？　思わず目を背《そむ》けたくなるような醜い人もみかけなくなったけれど、そのかわり釘づけになってしまうような美男美女もいなくなった。タレントたちも、そこそこかわいい。だけど、どの人も似たようなタイプで、ほとんど区別がつかないでしょう。

これは、貧富の差についてもいえます。ちょっと前までは、貧乏でお風呂にめったに入れないような人がたくさんいた。皆、今の若い娘みたいに何着も洋服を持っていなくて、着たきり雀は、ザラにいました。だから一張羅《いつちょうら》っていう言葉があった。だけど、今じゃホームレスだって、二張羅くらい持っています（笑）。しかしただ、戦後の財閥《ざいばつ》解体の貧税法《ひんぜいほう》とこの不況で、贅沢三昧《ざんまい》で皆の憧《あこが》れになるような大金持ちもいなくなった。

圧倒的な男女の差もなくなりつつあります。それでけっこうじゃありませんか。性犯罪も減るでしょうし（笑）。それほどに、なにもかもボーダーレスの時代……。よろしいんじゃないでしょうか。文明や文化がすすむとあらゆるものの境目がなくなってくるんだから、私はとても望ましい状況だと思っています。

豊かで美しい表現ができる言語

ただひとつ、残念なことは、知性の面だけは、なかなかボーダーレスにならないこと。マルチでいろいろなものに興味を持つ好奇心旺盛《おうせい》な人が増える一方で、なんにもものを知らない考えない空っぽで、ただカルシウムとたんぱく質の塊の人も増えています。そういう人たちのおかげで、日本語がとても乱れている。これはとても悲しいこと。

何も考えずに使っていたら、ついぞ気づくことはないでしょうけど、日本語は、ものすごく美しくて進歩的な言葉なんです。だって、英語でいうところの〝ミスター〟と〝ミセス〟、〝サー〟とか〝レディ〟に該当する言葉がないでしょう。結婚したから〝ミセス〟で結婚していないから〝ミス〟とか、位が高いから、尊称の〝サー〟や〝レディ〟と呼ぶとか、そういう前時代的な偏見もないのです。

誰に対しても平等に〝さん〟や〝さま〟。若かろうが年寄りだろうが、男であろうが女であろうが結婚していようが、していまいが〝さん〟と〝さま〟だけでフォローできてしまう。まさに、今のボーダーレス時代にぴったり。

それなのに、日本語は複雑で繊細です。たとえば一人称。英語なんて〝アイ、マイ、ミー〟

の組み合わせだけ。でも、日本語は〝私〟を伝える言葉がいったいいくつありますか？　僕、我輩、小生、俺、わたし、わたくし、あちき、わらわ……。そこに助詞が加われば、本当に豊かで美しい表現が可能になっていく……。

「主語＋動詞」と決められた英語とは違って、文法も自由。助動詞や副詞、助詞が複雑にからまって、さまざまな組み合わせが楽しめる傑作な言語なんです。それを使いこなせないのは、あまりにももったいない。

表現力を詩、小説から学ぶ

私が東京に出てきたころは、皆、本当に美しい日本語を操っていたものです。人に呼びかけるときも、今のように色気もそっけもなく「ねえ」じゃない。「ねえぇ」と優しく伸ばす。「私が」と話すときも、「私がっ」と汚く発音するんじゃなくて「私が」と少し鼻にかかった風情のある鼻《び》濁音《だくおん》を使った。日本語の繊細さを引き出すような優しい言い方をしていました。

そういう美しい発音を踏まえたうえで、もう一度古き佳き日本語を見直してみるといいのではないでしょうか。ちょっと想像してみてごらんなさい。渋谷あたりでルーズソックスをはいたコギャルたちが「わらわも〜」なんて、いっている姿。意外性があって、とってもチャーミングじゃない？「それどこで買ったの？」「マツモトキヨシにて候《そうろう》」なんて言ったら、教養がありそうでかっこいいでしょ（笑）。

でも、面白く、楽しく、美しいよい日本語を知る方法がわからない、なにから手をつけていいかわからない、という人がいる。

そういう人はね、まず詩を読むこと。美しい言葉で構成された世界に身をおいてみることです。ヴェルレーヌやランボー、マラルメ、ハイネ、コクトーの訳詩も美しいけれど、いきなり読んでも理解できない。かえって敬遠するだけ。だからまず親しみやすい言葉で書かれた竹久《たけひさ》夢二《ゆめじ》、寺山修司《てらやましゅうじ》あたりの詩から入ればいい。中原中也《なかはらちゅうや》、石川啄木《いしかわたくぼく》、佐藤春夫《さとうはるお》、北原白秋《きたはらはくしゅう》でもいい。

そうやって、美しい言葉に慣れたら、今度は小説。樋口一葉《ひぐちいちよう》や夏目漱石《なつめそうせき》、芥川龍之介《あくたがわりゅうのすけ》で慣れて、最後には泉鏡花《いずみきょうか》の本などを手にしてみてください。それから古典。

さまざまな表現に出逢ってゆくうちに、想像力も次第に育ってゆくもの。今まで殺伐《さつばつ》としていた世界に、ぬり絵みたいに色を塗っていく愉しさを覚えるころには、もう少し色鮮やかで幅のある女になっているはずです。

オオサカは安土桃山の夢を見る

私は、大阪という街が好きなんですよ。東京にはない、パワーのようなものを感じますね。それはいったいなんなのかなと考えながら、大阪人の気質、ファッション、街の空気、会話……肌で感じるそういうものを、本質までつきつめていくと、結局、あの豊臣秀吉の時代に行きつくんです。

豊臣秀吉がその担《にな》い手となった安《あ》土《づち》桃山《ももやま》文化をご存知でしょう？　城郭、金碧《きんぺき》障壁画、茶道、能楽、浄瑠璃《じょうるり》など、絢爛豪華《けんらんごうか》で鮮やか。美しく、華麗で、観る者の心まで豊かにしてくれるような、日本が世界に誇れる文化です。秀吉だけにとどまらず、そのころ新しく興った大名や大商人たちの勢いや気風を反映して、とても豪華で雄大な、オリエンタルな性格を持つものなんです。

真の通人は広い心を持つ

茶の湯の開祖である千利休《せんのりきゅう》は、はじめのうちこそ、秀吉にかわいがられていたけど、結局、秀吉の逆鱗《げきりん》に触れて、切腹するはめになってしまったでしょう。あれは、美意識の対立が根底にあった争いだと思います。これはね、致し方ないことなんです。なぜなら、ふたりの美意識はかけ離れすぎていた。千利休が善しとしたのは鄙《ひな》びた地味で抑えた色彩と形の侘びさびの文化。今も、東京のほうはこちらのほうが主流ですね。ひたすら地味に地味にまとめてそれをシックだという。

千利休の好む茶室は、狭い空間にひっそり建ち、装飾品といえば竹筒に寒椿を一輪生ける程度。器だって、汚いレンガが欠けたようなものでしょう（笑）。蘊蓄《うんちく》ばかり華やかで……。それに比べて、自らも赤や金の打ちかけを好む秀吉は、茶室にも金箔を施《ほどこ》さなくては気がすまない。そこら中が金だらけ。器だって凝りに凝って、鑑賞に堪える華やかで立派なものを選ぶわけですから、ふたりが衝突を起こすのはまあ、時間の問題だったのです。

私、個人的には千利休は好きじゃない。彼の提唱する侘びさびの文化は、ある意味とても趣《おもむき》があるものだけれど、美はそんなにシンプルなものだけじゃない。それこそ人を圧倒する

ほど優雅で贅沢な美もあって然るべきでしょう。多種多様でいいのです。これが姿を消してしまった。

美というものは、本当に何十万種類もの形があるのです。だから、多角的な視点も必要とされるはず。なのに成金趣味だということで、秀吉の美意識を受けつけなかったのは利休の狭量ですよね。それにもし本当にそれだけの侘びた謙譲の美意識をもっているのなら、自分の姿の彫刻を山門上に飾らせたりするでしょうか。そういう過剰な自意識は侘びさびを尊ぶ美意識からはもっとも遠いものだと思います。要するに通を気取った自己顕示欲の強い商売人の野心家だっただけですね。

豊かな文化の復活は大阪から

話は横道にそれてしまったけれども、安土桃山文化を作った美意識が大阪人の根底には、脈々と流れているわけです。ただいつしか商業に重きを置くようになってしまった。もちろん、戦後の目覚ましい復興をはじめ、大阪人たちの才覚は日本の経済を大きく支えてきたけれども、それによる弊害も確実に出てきている。かつては誰の中にもあった、文化や芸術を愛でるという意識がどんどん薄くなってきているのです。

そして、そこに向かっていたエネルギーが吉本のほうだけへ向かっている（笑）。もちろん、お笑いも立派な文化です。でも、それだけじゃダメ。やはり人生にはタンポポだけではなく、美しいバラもなくちゃ……。でも、まるっきり、文化を育む土壌がない不毛な場所ではないのです。この地にはすばらしい文化の歴史が、そしてそれを理解する素地があるのだから。そろそろそれに気がつかなきゃ、もったいないですよ。

私がいつも言っているように、不景気というこの暗い時代を乗り切るためには、美意識が、豊かな文化が必要なのです。でも、これまで財界人やえせインテリがひねりつぶしてきた文化を復活させる、その中心になるのは、もはや東京ではないような気がします。

東京はもう、ダメ。そもそも昔からよそ者の集まりで、文化を生む土壌じゃなかったのに。そこに、いつの間にか、経済の中心という自負が出てきちゃって、閉塞《へいそく》状態がずっと続いている、それが現状です。結局はなんの実体もない株に踊らされているだけ。幻想の上にのっかって、いたずらに数字だけが化け物のように動いているようなものです。芸術的なもの、美しいものを生み出すには、あまりに空気の通りが悪くなっています。

私は、大阪という場所に、現代が捨て去ってきた、華やかな美意識の、ルネサンスの可能性を感じます。

そう、もう東京なんて見習う必要はないのですよ。

はかなく、うつろう玉虫色よ

髪の毛のカラーリングは今でこそ当たり前になったけれども、昭和三十年代にはとても珍しいことでした。私は、その時分に、髪の毛から何から紫色で統一して「メケ・メケ」を唄って「銀座にきれいなおばけが出る」と話題になりましたけれど（笑）。

あのころは、アメリカ文化全盛の時代でしたから、街には原色があふれていました。紫なんていうフラジャイルな色の影は薄かったし、ましてや髪の毛を紫色に染めるなんて誰も考えつかなかったんです。だから、世の中にアピールする色は何色かと考えたときに、ごく自然に、禁色である紫色が浮かびあがってきたというわけ。私、昔から天邪鬼《あまのじゃく》で、人と違ったことが大好きでしたからね（笑）。

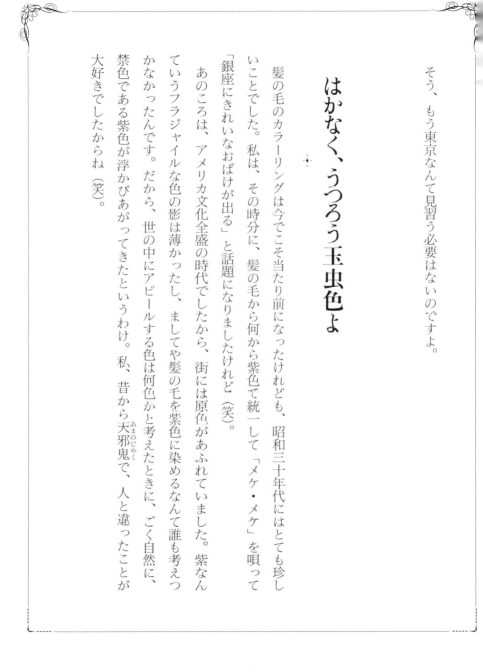

人間関係にも美意識は表れる

インテリアや日用品、アクセサリー、洋服……。私は身の周りの品に人一倍気を遣《つか》う方だから、色にもとてもこだわりがあります。よく「どうして美輪さんはパステルカラーやヒカリ物をいつも身につけていらっしゃるんですか」と訊かれるんですけれど、これは私の生きていくうえでの美意識ととても関わりがあります。

だって紫や金、パステルカラーは、どこかはかなげで情緒があるでしょう。赤や黄色、ショッキングピンクみたいにべったりと細胞まで染みこむどぎつさがなくて、あくまでも表層で漂《ただよ》っている感じ……。そこがとてもいい。私自身、フラジャイルな、つまりはかなげな色の持つたたずまいを忘れずに、他人に対してもそういう印象を与える人間でいたいなといつも考えているんです。

今の時代は〝一卵性母娘〟なんて言葉もあるように、べったりとした原色のような人間関係を好む人がたくさんいます。でも、それはいかがなものでしょう。

もちろんあまりにも表面的でよそよそしい態度をとっていると、いつまでたっても仲良くなれない。だけど、深くつきあいすぎると、どうしたって嫌なところが目につきだしてしまう。

だからお互いを尊重し、ほどほどの距離をたもっておくのです。そうすると、嫌なところは見せなくてすむし、こちらも余計なものを見なくてすむ。愛さえしっかりあれば、腹六分か七分で付き合う。

友人関係だけじゃない。恋人同士、親子、きょうだい……どの関係にもこれはいえることです。いっしょにすごす時間が長ければ長いほど、そうあるべきです。なのに、一定の距離感を「水くさい」なんていって、腹一杯付き合って土足で人の心にドタドタ踏みこむような真似をする人が多すぎる。だから、私は嫁姑や親子などといったベタついた人間関係を描いたホームドラマが好きではありません。橋田《はしだ》壽賀子《すがこ》女史のドラマなんて無神経で暑苦しくて、見ていられません。

もの知らずで馬鹿な評論家はそういうドラマを評して「日本の家族の原点、ここにあり」なんていうけれども、私は反対です。そんなことをいうから、互いに馴れ合いが生じ、それこそ日本人の原点であるところの〝親しき仲にも礼儀あり〟の日本の武士道から守られていた長所がなくなり、不作法になり、罵《ののし》り合い、殺し合うような家庭内暴力も生じるのです。

つかずはなれずの人間関係は生活の智慧《ちえ》

昔は親子の間にもきちんとした距離がありました。躾の行き届いた良識ある家庭では親は子供を〝さん〟づけで呼んでいたし、子供も親に対して敬語で喋っていました。試しに昔の日本映画を見てごらんなさい。それはけっしてよそよそしいものではなく、じつに穏やかなものです。だからこそ、今みたいに、嫁にいった娘が実家の母親に頼りきりなんてことなかったし、マザコンの息子が犯罪や問題を起こすこともなかったのです。

〝腹八分目〟という言葉があるけれど、そういうわけで私は人とのかかわりあいは、腹八分でもじゅうぶんすぎるくらいだと思っています。できるならば、人のつきあいは、つかずはなれずの腹六分か七分ぐらいにとどめておきたい。それこそが人間関係を円滑に保つうえでの生活の智慧だと思います。

色の話に戻るならば、紫と並んで好きな色に玉虫色があります。私の舞台の背景や小道具にも玉虫色をたくさん使います。見る人によって、青にでも赤にでも、紫にさえなりうる玉虫色。この、世にも美しい色の持つ心地よい曖昧《あいまい》さ、柔軟さこそが実は日本人の心の原点なのではないでしょうか。

でも最近では「玉虫色」という形容は、マイナスイメージのほうが強いでしょう？　優柔不断で事勿《ことなか》れ主義の象徴でもあるかのように自虐的に使われています。日本人は意気地のない国民だから、外国から「イエスかノーかはっきりしないところが日本人の悪いところだ」なんて指摘されると、すぐに真に受けてしまう。そして、それをコンプレックスに感じてしまうんですね。

でも、もういい加減、外国人と話すときや外国で生活するとき以外は、外国の真似をするなんてよさなきゃだめ。玉虫色のつかず離れず、はかなげで上品なフラジャイルの輝きは、凛とした人間関係を好み、節度をもった古き佳きころの日本人の智慧、美意識の象徴でもあるのです。

だから、私は声を大にして言いたいのです。〝玉虫色、万歳！〟

今の日本に文化としてのインテリアはない

文化を育むうえでのインテリアの大切さ。私は最近、そんなことを考えています。衣食足りて礼節を知るという言葉がありますよね。日本はもうずいぶん前から、衣食は足りているのだから、皆さん、そろそろ〝空間〟を考えていく時期だと思います。

教養やセンスを身につける「空間」とは

カフェ文化というのをご存知ですか？

かつて「サンジェルマン・デ・プレ」や「ドゥ・マゴ」「カフェ・ド・フロール」などのパリの老舗《しにせ》カフェでは、連日のように知識人やアーティストたちがディスカッションを繰り広げていたのです。サルトル、ピカソ、コクトー、エリュアール、アポリネール、マリー・ローランサン、ココ・シャネル、ディアギレフ、ニジンスキー、サティ……。あらゆるジャンルの人がカフェに集い、そこで育んだ人間関係からまた新しい文化や芸術が生まれていきました。パリがいちばん輝いていた時代、街にはいくつもの〝文化人の溜まり場〟があったのです。

私は、日本にもそういう空間が必要だと思っています。たとえばインターネットの中で、いくつか討論の場があっても、匿名で議論するような空間には真の文化は生まれやしません。よいインテリアや音楽、そこに漂う空気を感じなければ。そういうものが揃って初めて、ディスカッションする人たちも舞台の主役になったような気分になれるし、学校のお勉強で学べない教養やセンスも思い出も身についてくる。

日本にもカフェ文化を育てようとして、パリに本店を持つカフェがいくつかできたけど、とにかくインテリアが話にならない。たとえ渋谷に「ドゥ・マゴ」ができても、空間の温もりというものが感じられないでしょう？　せっかくのオープンスペースもビル風が吹きあれて、冬なんてたまったものじゃない。ひどい了見。あれでは、公園のベンチでお金をとられているのと同じことです。

原宿の「カフェ・ド・フロール」だって、狭いところにやたらと観光客を詰め込むだけ。お上りさん用のただの観光地と化して、芸術の話なんてできるような雰囲気もないし。そんな人材も集まらない。

始めっから、立派でなくてもいい。採算はとれないかもしれないけれど、一杯のお茶でずっと話していられるような雰囲気があって、あそこへ行けば、文化人の誰かに会え、実のある話ができると思える場所、それにふさわしいインテリアが必要なのです。そこが本当の意味での文化の発信地になるんです。

無機質、経済効率からは情緒は育たない

とにかく今の日本人は空間作りが下手。軍国主義で文化を壊して、終戦後、経済効率だけで考えるようになってしまった。磯崎新《いそざきあらた》も安藤忠雄《あんどうただお》も丹下《たんげ》健三《けんぞう》も、作っているのは、ただの無機質な箱。フジテレビで不祥事が続いているのも、丹下氏デザインの、灰色で廊下から何から統一した不吉で空疎な建物の影響です。精神的におかしくなるのです。ちょうど、昔ドイツのバウハウスで実験的に造ったアパートで、次々と奇怪な事件が起きたのと同じ理由です。

劇場だってそう。たとえば、シアターコクーンやアートスフィアやセゾン劇場など。あそこは、経済効率を考えているのか、床がフローリングになっています。それが舞台で演じる役者にとって、観客たちにとってどういう意味をもつかわかりますか？ 考えてもみてください。遅れて入ってきた人のハイヒールの音や、ハンドバッグやプログラムを落としたときのこと

を。フローリングだと、ほんのわずかな物音も響いて、それまでの観客たちの集中力が散漫になってしまう。もう芝居は台無し。なぜ、昔の劇場が床に絨毯《じゅうたん》を敷いていたか。それは防音のためなんです。きっと今の日本には、作り手に芝居を本当にわかる、好きな人がいないんですね。

日本の劇場の問題点はまだまだあります。非日常の空間であるべきなのにあまりに凡庸すぎる。まるで会社やオフィスと同じ空間デザインで、働いている場所の延長みたいでウンザリしてしまいます。皆、わざわざお金を払ってそわそわ浮き浮きとおしゃれをして〝お祭り〟を観に来ているのです。歌舞伎座のようにお祭りに値する華がなければいけません。だから、私がお芝居をやらせていただいている渋谷のパルコ劇場の方々には、たんとわがままを聞いていただきました。椅子や絨毯もベージュから深い赤へ変えてもらったんです。おかげで、劇場然とした華やかでとても素敵な空間になりました。一度足を運んでいらしてみてください。芝居の最中はもちろん休憩時間にも華やいだ雰囲気が流れていますから。みなさんの会社や住まいの、平凡でネズミ色の無機質な空間とは異なりますから。

戦前の日本の人々は、毎日同じことの繰り返しで砂を嚙むように味気ない生活のため、ノイローゼになったりしないようにと、一年の間の適当な頃を見計らって、気散じや気休めのためにいろいろなお祭や催《もよお》しを行うように生活の知恵を働かせていました。それが正月、雪見、節分、ひな祭り、花見、端午の節句、衣替え、盂蘭盆《うらぼん》、夏祭り、みこしかつぎの秋祭りなどなのです。これらは、凡々とした日常生活の目先を変えさせ、変化をもたせて、また次の日からのエネルギーをリフレッシュさせるための生活の知恵だったのです。しかも、それぞれが異なる美しさで行う空間作りがうまかったのです。

　公共の場所だけではありません。それぞれの住まいに情緒が漂っていました。衣替えといえば、衣服だけでなく、空間も季節にあわせて変えていった。夏の声をきけば、障子をはずして簾《すだれ》をかける。縁側には花ござを敷いて、軒先に風鈴をつって……。すごいセットだと思いませんか？　一年中何も変わらない、今の味気ないアパート、マンションや新築の家の生活と比べてみてください。蚊取り線香や団扇《うちわ》、金魚鉢、屏風《びょうぶ》、衝立《ついたて》、掛け軸、人形、活け花、欄間、床の間、床柱、衣桁《いこう》、乱れ箱……小道具も完璧。だからこそ皆、それぞれの季節の思い出を持っていた。ひとつひとつはほんのささやかなこと。けれども、その小道具のつみかさねがキメの細かい雰囲気や情緒を育んでいったのです。

　いかがですか？　これで私が考える〝文化としてのインテリア〟の意味がわかっていただけたでしょうか。夏になっても暖房と冷房をリモコンで切りかえるだけの生活では、哀しいかな、ロマンティシズムや想い出や安らぎ、癒し、情緒なんて育ちっこないんですよ。コチョコチョとした無駄と思われるものが、実は無駄なんぞではなく、人の精神衛生に絶対必要不可欠なものだということがよくおわかりでしょう。風鈴がそよぐ下で、恋人が団扇《うちわ》や扇を使う姿が目に焼きついて、永遠の思い出になることがあるのです。

私が昔の日本の叙情歌を愛する理由

おかげ様で一九九八年の『双頭《そうとう》の鷲《わし》』は大いなる盛りあがりを見せて幕を閉じることができました。東京と大阪、名古屋という大都市以外ではとくにスタンディング・オベーションで拍手も鳴りやみませんでした。

その、とくに東京や大阪で、気になったことがふたつばかりありました。ひとつめは観劇のときのマナー。ほかの観客の迷惑を考えない、無神経でとてもエゴイストな人が多すぎます。

まず携帯電話の電源を切っていない人。あの金属音がどれだけ芝居の邪魔になるのか、わからないのでしょうか。しかも、あれだけ休憩のたびにアナウンスしているのに、どうして？

それから物を食べる人、これはもう言語道断です。もしも外国だったらつまみ出されています。

そして咳《せき》をし続ける人。始めから終わりまで咳をしっぱなし。まるで商売仇が芝居の邪魔をしに来たのではと思うほど（笑）。たった一言の短い科白《せりふ》が芝居の重要なモチーフになっていることはとても多いのです。だから、もしその大切な科白が大きな咳でかき消されてしまうと、芝居の筋がわからなくなり芝居は全滅。

きっと本人はたいへんなんでしょうけど、そういう状態ならやはり観劇は控えるべきなんです。私もかつて咳で三～四年苦しんでいた時期がありました。行きたい音楽会や芝居はたくさんあったけれど、泣く泣く我慢したものです。行きたい気持ちはよくわかります。でもほかの人だって一生懸命お小遣いをためて、楽しみにして来ているのです。中には、貧しい人がなけなしのお金をはたいて入場券を買い、交通費や食事代を捻出《ねんしゅつ》していらしているかもしれないのです。演者もスタッフもその一回に全力をかけています。せっかくのその熱意を、大勢の人々の人生を、たった一人のエゴが台無しにしてしまうのは、とても罪なことなのです。

人の目を気にして感動を表現できない悲しさ

もうひとつとても気になったのは、東京の客席の空気の重さ。

感動しているのは伝わってきます。でも、それを自分の内側へぐんと抱え込んで沈黙するばかり。「拍手できなくてごめんなさい」と後から言ってくれた人がいたけれど、拍手をすると感動が逃げてしまうような気がしたのだそうです。だから座り込んで石みたいになってしまう。カーテンコールでもずっと下を向いちゃって（笑）……とても屈折していると思いませんか？　客席も舞台なのですよ。地方の人たちのように、立ち上がり「ブラボー」と叫べば、自分もまた劇的興奮をかきたてられドラマティックで、ロマンティックな出演者となり、演じる側と〝感動〟という形で舞台にいっしょに参加できる何よりのチャンスなのです。

たぶん、生活に疲れていて心が屈折して内向しているのでしょう。エゴは強い。それなのに、すべてに人の目を気にして生きている。だから素直に感動の表現ができなくなってしまう。そういう人たちにね、少しでも潤《うるお》いとゆとりある心を取り戻してほしくって、私の音楽会があるんです。

かつて日本人が大切にしたロマンティシズム

歌ったのは「赤とんぼ」や「花嫁人形」といった上品で優しくって清らかな歌。「別れのブルース」や「星の流れに」といった昭和初期の古きよき流行歌もメドレーに入れました。今はみんな演歌が日本の心なんだと思っているようだけど、けっしてそうじゃない。あれは戦後韓国歌謡の影響を受けて発達した新しいものにすぎない。戦前の日本にあったのは演歌じゃなく「叙情歌」なんです。こぶしなんかまわさない。美しいメロディと文学的な詩。それを聴いていただきたいのです。

会場には竹久夢二、高畠華宵、蕗谷虹児、初山滋、中原淳一さんの絵を飾りました。彼らがずっとこだわってきたリリシズムこそが私が皆さんに伝えたいもっとも大切な要素ですから。私が原体験として持っている、日本がいちばん美しかったころを再現しました。

私が歌う北原白秋や三木露風《みきろふう》、島崎藤村《しまざきとうそん》といった人たちの、清く正しい日本語が織りなす歌に身を委《ゆだ》ねれば、ささくれだった魂も浄化されます。心の奥底で蓋《ふた》をしている泉から潤いがわいてきて、〝私ってこんなに素直で優しい人間だったかしら〟と柔らかく清らかになっていくはず。そういう瞬間に人は癒されるんです。そしてコンサート会場を出るころには、〝明日もがんばろう〟とリフレッシュできるのです。

とにかく、今の人たちに本物のロマンティックなもの、叙情的なものがどういうものなのか、人間にとって本当に大切なものはなんなのかを、少しでも感じて、実践してほしいのです。かつて日本人が大切にしてきたロマンティシズムを教えてあげたい、伝えていきたい。今、いかに汚い日本語を喋《しゃべ》っているのか、すさんだ服装をしているのか、がさつな獣になりさがっているのかを自覚して、少しでもいいから、どうぞ変えていってくださいな。

病んだ心を癒す滋養物、それは美しき「文化」である

多くの人がストレスを抱えて暮らしています。

ふだんの生活でいちばん心と体に負担をかけるのは、知らず知らずのうちに緊張し、息を詰めてしまうということです。ときどき、自分の肉体を点検してみてください。まゆげの上、こ

めかみ、顎、肩、首、さらには指先やひじまで……無意識のうちに体の各部に力が入っているとしたら、その部分はとても緊張しているということです。

そんなときは、まずゆっくりと深呼吸を。息を吐《は》くのと同時に余計な負担がかかっている部分の力を抜いてみましょう。このとき、姿勢を正しくしておかないとかえって疲れが出ますから、背筋はあくまでもまっすぐにしておくこと。そうすると、脈拍が正常な状態に戻ります。

無機質な空間に情緒が悲鳴

それにしても、なぜあなた方は、そんなにもストレスを感じ、心が擦《す》り切れてしまうのか。もちろん、それぞれを取り巻く人間関係の問題もあります。けれども、あなた方が働く無機質な空間も、また大きな要因になっていると思うのです。

たとえば、照明の問題。ほとんどのオフィスでは、蛍光灯が使われています。あの光は、なるほど経済効率がよく、温度上昇も少ないかもしれない。便利なものであることは認めます。しかし、不自然な明るさは、どこまでも人を疲れさせ、四方を囲むのも、これまた無機質で灰色の新建材。それらがどれだけ心を苛《さいな》むことか。

男たちは、仕事が終わったあとに盛り場に繰り出しますが、あれは酒を飲みたいから、飲み屋の女たちと戯《たわむ》れたいからという単純な理由からじゃない。オフィスという無機質な空間の息苦しさから逃げ出したいということなのです。遊びもない、美しさもない、情緒もない。ないないづくしの殺伐とした空間に一日中いれば、気がおかしくもなりますよ。情緒が欠乏症で心が神経が悲鳴をあげているからこそ、人間の防衛本能が働き、逃げ場を求めるのです。もしも、オフィスがもっと人間的な空間づくりをしてくれていたら、みんな寄り道をして、道草を食って、気《き》散《さん》じなんかしなくても帰宅できるようになるでしょう。でも、今の状況では、仕事場のインテリアを個人で変えることはなかなか難しい。だから、それならばせめて、自分の家のインテリアを考え直すことから始めるのです。インテリアなんて、やはりどこか贅沢なもので、生きていくうえでは、必ずしも重要なものなんかではないと、切り離して考えている人が、日本ではまだまだ多いようです。五感に重大なる影響を与える美意識こそが地球を救うし、人をも救うというのに……。

音楽、香り……心にも栄養を

ひとつひとつが高価か否かなんて関係ない。大切なのは、明るく楽しく美しいものであるか、どうか。家具だけではありません。自分の脈拍や呼吸の回数にあったリズムの音楽を常日頃BGMとしてそばにおいて聴くこと。そうするとおのずと情緒も安定してきます。速いテンポの音楽は、踊ったりして遊ぶときにはいいでしょう。でも、ふだんの何気ない生活で、そういう音楽をかけっぱなしにすると、生理的なバランスが崩れ、変調をきたします。そうなると、今度は体の中の磁気エネルギーが乱れ、波動も狂ってしまい、さらには運も下降気味になります。病気になります。

香りも大切です。日本には、昔から香合《こうあわせ》という遊びもあったほど、香りの歴史があったのに、いったいいつごろから日本の香りの文化は廃れてしまったのでしょう。

武将の兜《かぶと》に焚《た》き込めた香り、女たちの匂い袋、白檀《びゃくだん》の扇……。小さく貧しい一間でも香を焚いたり、匂いのよい花を活けたりすれば、豊かな気分にひたれます。寝る前に、枕元へオーデコロンを軽くひと吹きしておくといい夢もみられるし、寝返りのたびにかすかな匂いが漂います。以前親しくしていたボーイフレンドが、思いがけなく訪ねてきたことがありました。聞けば、数十年前私が使っていたコロンと同じ香りを、ふと街で通りすぎていった女がつけていた、ということで、久しぶりに私を思い出し、会いたくなったというのです。ことほどさように香りは人生の芳《かんば》しい出来事を呼び覚ます力を持っており、ささくれだった心をも癒してくれます。

ご存知のように、人間は肉体と精神とでできています。肉体を維持するためのビタミン剤や栄養補助食品は過剰なくらい出回っているし、それらのものに関しては、あなた方もとても敏感に反応する。なのに、もう一方の精神を健やかに維持するものに対して、あまりに無頓着《むとんちゃく》です。

では、精神におけるビタミン剤や栄養補助食品に匹敵するものは何か？　それこそが「文化」なのです。ですから、それが欠ければ、当然精神的栄養失調が起きます。いたずらにイライラしたり、焦りを覚えたり、落ち込んでみたり、自信をなくしたり、理由のない怒りがフツフツと湧きあがってきたり……そんな経験があるとしたら、あなたの心が飢えている証拠でしょう。

さあ、美しい滋養物たちを今すぐ五感に与えてあげてください。

高畠華宵（『少女画報』昭和３年より　講談社刊・高畠華宵名画大集）

第五章

美しく生きる

成熟しない〝子供の王国〟

もう古い話ですが、ある人気タレントが結婚したとき、テレビも雑誌も、まるでお祭りみたいに騒ぎたてていました。私は、なぜ、若い女の子たちがあの人を目標にしていたのかがわかりません。

大人の女とはほど遠い、舌ったらずな喋《しゃべ》り方で「娘のほうが大人で私のほうが子供だ」なんて臆面もなく言って、喜んでいる幼稚さ。歌にしたって、あれは三十半ばすぎたおばあさんの歌う内容ではないでしょう。恋だ恋だと、鼻をならして叫んでいるだけで、少しも心に響いてきません。

三十過ぎた人間には、三十過ぎた人間の歌うべき歌や歌い方、表現方法というものがあるのです。はたちの成人式も過ぎたおばさんタレントや三十過ぎのおばあさんタレントが、〝ワタチ、カワユイデチョ？　ウンネエ、ウンネエ、カワユイッテイッテエ！〟と媚《こび》の押し売りをしているのは、ほとんど強盗殺人犯と同じ凶悪犯罪だと思います。

中には、五十歳を過ぎたヒーおばあさんが、何十年も昔「可愛かった」と言われた言葉にしがみついていまだに〝婆ちゃん嬢ちゃん〟よろしく可愛ぶってみせているのは、真に悲惨この上ない見世物で、そぞろ人の世の哀れを覚えます。みなさんは、そうならないようになさらなければなりませんぞ。

知性がなければ恋も生き方も中途半端

日本にはかつて、宇野千代《うのちよ》というすごい先輩がいました。恋の相手も、尾崎士郎《おざきしろう》から東郷《とうごう》青児《せいじ》、北原武夫《きたはらたけお》……。小説家を志し、北海道に夫を残し上京してしまう無責任さと大胆さ、東郷青児と会ったその瞬間に恋に落ち、そのまま彼の家に居ついてしまうという決断の速さと奔放《ほんぽう》さ。そして、男の気持ちが離れていったときには、けっして後追いしない潔さ。知性と品を備えた女っぷり。

また、トーキー時代のハリウッド女優、クララ・ボウ。

彼女はたしかにコケットリーです。だけど、彼女には大人の味が、洗練があるんです。ぶりっこも、あそこまでいけばあっぱれという感じ。今の日本人は小粒で、何をするにも〝あっぱれ〟という域までいかないでしょう。子供のまんま、未成熟のまんま、ストップしてしまう。

ファッションも恋愛も生き方も、すべて中途半端。

それに今の人は、知識がなさすぎます。過去の様々な種類の歴史に残る人物たちのことをよく調べてごらんなさい。もっと激しくすさまじい女たちが過去にたくさんいたことを知らずにいるのは人生の損失ですよ。

ひとのプライバシーに踏み込まぬ理性

私は、身の上相談を二十五年やってきているけれど、二〜三回の結婚なんて少しも珍しくないんです。四〜五回、出たり入ったりする人だっていっぱいいます。歳の差だってそう。六歳の開きくらい、別に驚かない。三十二歳年下の男性と結婚している人を私は知っていますよ(笑)。

とにかく、そうやって皆くっついたり、離れたりしてトラブルも起こしたりするわけだけど、それぞれのカップルのことは、他人にはけっしてわからない。昼間けんかばかりしていても、夜はセックスで仲直りして、結局のところとっても仲がいい……という人たちもたくさんいますしね。ことほどさように、男女のことに関しては他人がとやかく口出しするべきものでないんです。成熟した大人はそれを放っておくべきです。

たとえば、フランスなんかは、皆それをわかってる。マスコミがミッテランの愛人問題をスキャンダラスに書きたてても誰も相手にしない。それどころか逆に「プライバシーをとやかくいうのは下品だ」と国民から袋叩きにあってしまう。それだけ成熟してるということでしょう。

だけど、日本は覗《のぞ》き見趣味で芸能人のプライバシーをＰＴＡや小姑だかのように騒ぎたてる。自分たちだって寝ればどんな変態ゴッコをしているかしれたもんじゃないくせに、聖人君子ヅラをして。しかもいい歳した分別もってしかるべき男たちが、芸能レポーターと称しては、誰それとセックスしたとか、子供を生んだとかその人の仕事とはまるで関係のない、瑣末《さまつ》なことばかり思い上がった裁判官ヅラして暴きたてる。なんて恥知らずなことでしょう！

仕事さえきちんとやって他人に迷惑さえかけなければ、プライベートは何をしてもいいと私は思います。あとはその人の勝手。責任を持つのもその人だし、不幸になるのもその人なんです。

だから、私は他人の結婚相手なんて、微塵《みじん》も興味が湧かないんです。好きな人といっしょになればいいし、捨てられるんだったら捨てられればいい。どうぞご勝手に……。そして、その人が困って相談にきたときには、初めて真面目に興味を持って相談にのってあげればそれでよいのです。

相手の心の奥底を思う――そのために想像力はある

「美輪さんの言葉には愛がある」。そんなことを言ってくださる方がいます。でもね、いつもいつも愛に満ちているわけではないのです。相談にきた人が、生まれつき性格が曲がっていたり、何度言っても悪いほうへ、悪いほうへと考えるタイプだったら愛情もなにもあったもんじゃない。それは本人の問題だから、悪い事態を招いても致し方ない。ほうっておいてもいいんです。

もちろん、はじめから見限ることはしません。その人が努力するまで待ちます。前向きでありさえすれば、解決に多少時間がかかってもいい。本来、まっすぐで優しい心を持っているの

に、どこかで苦労したり、傷ついたりして、心の柔らかい部分にベールがかかっている人には辛抱強くアドバイスしていきたい。後天的な理由によって前向きになれない人は、気の毒ですから。根強く引きずっているものをこちらが力いっぱい引き抜いてあげる。そうやって皆さんの力になっていくことが使命だと思うし、私の存在理由だと思ってます。

ただ、いくらアドバイスをしても、まったく聞く耳を持たないとなったら、話は別。スパッと切ってしまいます。私、ダメと見限ったら早いですよ。もう氷山やドライアイスよりも冷たい。押せども引けども誰がなんといおうとダメ。たとえクリントン大統領やノストラダムスが来てひれ伏したってダメ（笑）。まして、永田町から電話なんかしてきてもダメ（笑）。

相談を受けたら、まず、その人のバックグラウンドを考えるようにしています。私に接してる部分だけで判断せずに、心の奥底にあるトラウマや生い立ちを推察するんです。そのために想像力はあるんですから。たとえば、美しくない人だったら、その劣等感が芽生えていったであろう過程を思い描く。自分の容姿が嫌なら、毎朝、鏡を見るとき辛いだろうし、友達の目もまともに見られなくなってしまうことだってある。これはけっして、見下してるわけじゃないんです。私自身、小さいころから〝絶世の美少年〟なんて褒《ほ》めそやされる一方で、変態とかオトコオンナとか、果ては「おまえが触ったものは腐る」とまでいわれてきたからこそ、わかることです。きれいだとちやほやされ、傲慢《ごうまん》になる感覚も知ってるけど、醜《みにく》いといってつまはじきにされる、本当に惨《みじ》めな気持ちもよくわかる。両方の気持ちが理解できるから、うぬぼれなくてもひがまなくてもすんだ。今までずっと中庸でこられたんです。

だから、相談されても本音と建て前も見抜けるようになりました。強がっているけど、ほんとはさびしがり屋なんだとか、嘘ついてるとかが瞬時にわかってしまう。あらゆることを冷静にかつ客観的に見ることができるんです。

夢想的な男と現実的な女のバランスの妙

たとえば、男と女。皆「男とは現実的で神経が太く、強いもの。女はロマンティストで神経が繊細で弱いもの」と思いこんでいるけど、そんなの幻想。キリンビールの〝麒麟〟と同じで、強い男、弱い女なんて実際には存在しない。架空の生き物なんです。

結婚がいい例でしょう。男が女を結婚の対象として考えるときは、かわいいとか優しいとか純粋に人間的なもので選びますよね。だけど、女が結婚しようとするときは学歴があって、収入があってという具合に性格的なものがいちばんあとにくる。ロマンなんてない。だからこそ、女は家庭をきり盛りしていけるのです。でも、外見だけはロマンティックな装いをしているから、そこに男は騙される。一度暮らし始めたら、なんて現実的な奴なんだ、とがっくりする。女のほうもなんでこんなに頼りない弱い男と結婚したのかと幻滅してしまう……。

身近な男を見てごらんなさい。いつも夢ばかり追って気が小さいでしょう。だから、カモフラージュで神さまが腕力を与えたんです。反対に、女は強く現実的だから腕力を奪われた。その辺のバランスはね、ちょっと離れたところから見ていると、ほんとによくわかる。

今まで、政財界のお偉方も含めて、のべ何千人という人の相談にのってきました。そのたびにしみじみ思う。ああ、人間は間違いを犯すために生まれてきたんだな、世の中の常識というのは常に間違ったところから出発してるんだなって。だから、おのずと悩みも生まれてくる。

幸い、私は、いろんな経験をしたおかげで悩まないんです。自分で分析してみて、結論をパッと出してしまう。迷いがなんにもない。だから弱い人に力を貸してあげるのが当然の義務だと思っているんです。

亡くなった天才作家の三島由紀夫さんも呆《あき》れていましたもの。「どうして君はそんなに強いんだろ」って。私は、答えました。「半分、女だからよ」ってね（笑）。

『椿姫』の描いた無償の愛が愛なき世界を救う

私は数多くの舞台に立ってきましたが、その中のひとつに『椿姫』があります。あなたは、歓楽の生活を擲《なげう》って、真実の愛に生きようとする娼婦マルグリットとアルマンとの、悲しくも美しい愛の物語をご存知ですか。

この『椿姫』の大きなテーマは〝無償の愛〟。マルグリットは、何にもかえがたいその命さえ、愛する人のためには捨て、死んでゆく、どこまでも純粋な女です。

混沌として不透明な時代だからこそ、人間のエゴや欲望と対極に位置する透明で美しい世界を私は描きたかった。まわりを見てもみんな自分のことしか考えず、ただ相手に不当な要求ばかりする。それを真実の愛だと錯覚しているようなていたらく。だからこそ、〝愛〟というものの原点に立ち返ってほしいのです。命をかけて人を愛することがどれほど美しいかということを、再認識してほしいのです。

美しい恋は女性を輝かせる

あまりにまっすぐに愛しすぎたが故に破滅に向かってゆくアルマンを心配する父親。その父に「息子と別れてくれ」と切り出されたとき、マルグリットは静かにうなずいて、こう答えます。

「それではご自分の娘さんに接吻なさるようにして一度だけ私に娘として接吻してくださいまし。そうすれば、この接吻が、私がこの世に生まれて初めて受けたただ一度の本当に清らかな接吻となり、それが別れることのできる力となり、私を自分の恋に負けないくらいの強い人間にしてくれますわ」

なんていじらしい言葉でしょう？　相手に対して求めてばかりの今のお嬢さん方とはまるで違う。

親の愛も知らずに育ち、娼婦となり、それまでは肉欲の接吻しか知らないマルグリットがどんな思いでこの言葉を口にしたか、想像してごらんなさい。そうすれば、今、皆さんが失いかけている、本当に大切なものが見えてくるはずですから。

マルグリットは恋人に何ひとつ、手切れ金も条件も要求はしない。彼女の心の裡《うち》にあるのは、ただひとつ。愛するアルマンの幸せだけ。もちろん、私自身、これまでボーイフレンドたちには、こういう愛情で接してきたつもりです。でも、今の時代、相手に何も求めずに、相手を愛し続けられる人はいったい何人いるでしょう。いつの間にか、〝ごくあたり前の愛し方〟が〝馴れ合いが生じて要求ばかり〟になってしまった。それはとても悲しいことです。

このマルグリットには、もともとマリー・デュプレシスというモデルがいました。パリ社交界の花で、作者のデュマ・フィスの情人《アマン》でもあったという彼女は娼婦という賤《いや》しむべき身分の女性でありながら、公爵夫人と見紛うほどの気品と優雅さを兼ね備えていました。本当に美しい恋はどんな豪華な宝石にも勝り、女を輝かせる、という見本のような人でした。そういう女性の美しい恋をみなさんに知ってほしいのです。芝居が観られない人は、本を買ってぜひ読んでみてください。百倍泣けますよ。

音楽、美しい言葉は生活の必需品

そして、もうひとつ、この舞台から学んでほしいことは言葉の持つ力、そしてその美しさ。アルマン役の中澤昭泰《なかざわあきやす》くんは、モデル出身で舞台の経験はほとんどなかったんです。けれども、新劇の俳優には絶対できない演技を見せてくれました。

じつは、稽古が始まる前に、私が科白《せりふ》を読んだものをテープに録音して渡して、「台本は絶対に目で読んじゃだめ。音楽のように耳から聴いて、イメージを膨《ふく》らませていきなさい。そうやっていくと、ラジオドラマみたいに情景が日に浮かんで感情移入できるはずだから」ってアドバイスしておきました。そうしたら、期待以上にすばらしく演じてくれたのです。

音楽というのは、生活においてとても大切な役割を担っているでしょう。それと等しく、美しい言葉もいまや、生活必需品。青い空も、自然の緑もすべて灰色になってしまった今だからこそ、ささくれだった人々の心を癒し、豊かにしてくれるのは、形のない美しきものたちなのです。生活というのは、「生きることを活かす」と書くでしょう。では、「生きることを活かす」とはどういうことかといえば、すばらしい本を読んで、美しい音楽を聴いて、質のよい美術品に接し、小説や映画の主人公のように毎日を生き生きと生きていくことなのです。

おわかりですか？　ファンダメンタルな部分が愛と美でなきゃ世の中、何も始まらないということを。今の時代に必要なのはお金や名誉ではありません。それに気づいていただきたくて、私はこの芝居を書いたのです。

だからこそ、『椿姫』は日本中の人が見なくては……。そうでなければ、あなた、人間としてこの世に生まれてきた価値なんてありませんぞえ（笑）。

私の嫌いな男のタイプって……

最近「美輪さんの理想の男性はどんなタイプですか」などとよくきかれます。下世話な質問ですね（笑）。

でも教えてあげましょう。ひと言でいうなら、素朴な男〟私はありのままで飾り気のない人がこよなく好き。夕方、道に迷って途方にくれている子供みたいな雰囲気、とでもいったらわかっていただけますか。まっすぐで正直で、でもそれ故に不器用にしか生きられない……そういうタイプに弱いのです。

たぶん、私がとりわけ強いからでしょうね。少しくらい、顔が悪くても、背が低くてもそんなことは関係ない。澄んだ心を持っていれば、なんとかしてあげたくなってしまう。

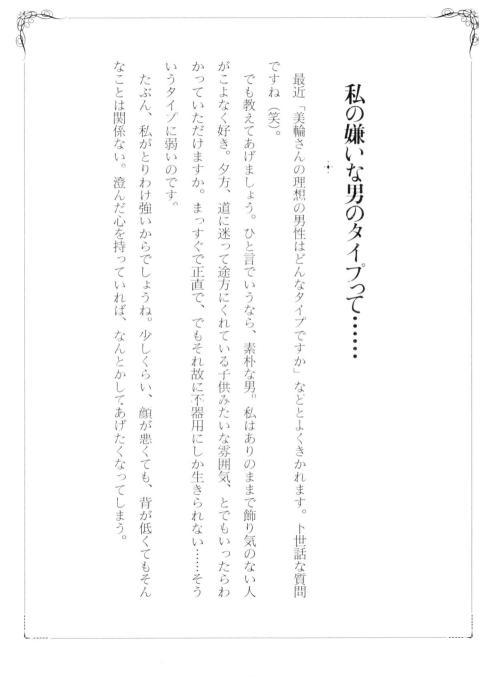

鼻持ちならない上流気取り

反対に嫌いなタイプは、本当はけっしてそうではないのに、あたかもソフィスティケイトされているように振る舞う人。こじゃれたスーツを着て、今なら青山、銀座や六本木あたりのスカした店で「今年のボジョレ・ヌーボーは……」なんて蘊蓄《うんちく》傾けている奴（笑）、城やワイン蔵も持っていないくせに上っ面だけ真似て、さも上流階級の仲間入りでもしたような顔をしている奴。そういうバカ者たちを見たら、反吐《へど》が出てしまう。どんなに見目麗しくてもダメ。

そういえば、私の嫌いなタイプって、なぜか慶応出身者が多いんですのよ。おほほ……。

かつて私が歌っていた「銀《ぎん》巴里《パリ》」というシャンソン喫茶は、早稲田、慶応、東大、法政、明治、立教と六大学の学生たちの溜まり場になっていました。当時、私の周りには常時二十〜三十人の男性がいて、キャンセル待ちがいて、ひとりいなくなってもすぐふさがるというような商売繁盛の状態でした。本来、私は先入観を持って人を判断するのは好きじゃないんです。でも、当時、大学生だった彼らを観察していると、面白いほど出身校によってタイプがわかれていました。卵が先か、鶏が先か。大学というひとつの世界がキャラクターまでつくりあげてしまうんですね。

その中で不思議に慶応ボーイは鼻持ちならないのが多かったんです。みんな単なるプチブル（小金持ち）で、すべてにおいて中途半端。

ブルジョワぶってご本人はお育ちがいいつもりなのだけれど、実はエリート意識が空回りしているだけ。お金の使い方も下手。とにかくケチなんです。自分でお金を持っていても、出したがらない。ワリカンでもしぶるし。別に奢《おご》ってほしいわけではありません。ただ、すべてにおいて、男気みたいなものが感じられないのが嫌でした。

傲慢《ごうまん》で、ボーイさんや他人に対して見下したような態度をとるのも気に入りませんでした。本当のお金持ちというのは誰に対してもわけへだてなく振る舞えるものなのに。そういえば、あのアダルトチルドレン首相といわれた橋本龍太郎さんはたしか慶応出身だと誰かに聞いたような気が……（笑）。

女という生き物は見かけの華やかさに惑《まど》わされる

親しくしていたボーイフレンドの中に、ミスター慶応に選ばれた人もいました。見た目は抜群。『酔いどれ天使』のころの三《み》船敏郎《ふねとしろう》をもっと素敵にしたみたいな感じ。スポーツ万能でスキーやってもビリヤードやらせてもすべてプロ級。英語もペラペラ。ほんとに非のうちどころがなかった。

高校のころまでは性格もナイーブでかわいかったんです。だけど、慶応大学に入った途端、私の興味は失せてしまいました。〝悪貨は良貨を駆逐《くちく》する〟ね。どんどん慶応体質に染まっていったの。いつしか「俺はおまえたち、庶民とは違うんだ」という意識が言葉の端々に出てくるようになって、やることなすこと嫌味になってきた。そうなったら、もうおしまい。サヨナラをするときは、丁重にプライドをズタズタにしてさしあげました。私はいつも真理に基づいて発言しているから、「あなたのやっていることは、ファッションも思想もすべてニセモノ」といえば相手も反論できないんです。

とにかく慶応出身者はろくなお方がいらっしゃらない（笑）。「天は人の上に人を造らず、人の下に人を造らず」といった創立者の福沢《ふくざわ》諭吉《ゆきち》の志を裏切っている人が多すぎます。福沢先生も草葉の陰で「トホホホ……」と泣いていらっしゃいます。

ところが女という生き物は、面白いことに慶応ボーイみたいなタイプに憧《あこが》れてしまう。若いうちはとくに。見かけの華やかさに惑わされてしまうのです。つきあってみると、すぐにその奥行きのなさがわかるのに。

それよりも、ニッカボッカをはいて、紫の腹巻きをしている肉体労働者のお兄さんのほうがどんなに素敵なことか。だって、彼らは自分の力で働いているのです。学歴や家の財力なんかによりかからず、頼らずに、自分の体ひとつで汗水流してがんばっている。穢《けが》れたこの世の中で生きていけるのか心配になってしまうほど、純朴で目をキラキラ輝かせながら。

……いかがでしょうか。男のこういう純粋さをいとおしく感じられるようになったら、あなたも一人前の成熟したカッコイイ女といえるのですけれど。……ねえ……？

あのフランスの大女優ジャンヌ・モローのように、記者の「貴女《あなた》はどういう男性がお好きですか。知性ですか、名誉ですか、財力ですか」との質問に、彼女は「いいえ、そんなものは私が全部持っています。殿方はセクシーで、ただ美しければけっこうです。それだけ」と答えました。これこそ一流の女です。

若さでは敵わない
洗練された美しさがある

このページを読む前に、まず胸に手をあてて考えてみてください。

あなたはいたずらに多くのことを求めすぎてはいませんか？

自分のことを過大評価しすぎていませんか？　最近、そういうお嬢さん方がすごく増えているような気がします。

人生にも正負のバランスがある

この世には、「正負の法則」という揺るぎない法則がある、ということは以前にもお話ししましたね。人間は誰もが「正」だけを望むわけです。裕福な家庭に生まれて、器量もよく、学校の成績も優秀で、才能にも恵まれ……、さらにはすばらしい相手と結婚できて、よい子供も生まれ、夫はどんどん出世し財産も増えていく、といった具合にね。でも、人の一生、「正」

だけというのはありえない。

「正」と「負」には磁気エネルギーがあるのです。それぞれのエネルギーのちょうど境界線に地球は浮かんでいるのです。よいことが極まれば、あとは悪いことが起こる。反対に悪いことが極まると、よいことが起こる。これが地球の法則。

たとえば、また、例のダイアナ元イギリス皇太子妃。彼女は美しく、誰もが羨《うらや》むステイタスを手に入れた。おしゃれも自分の好き放題にできたし、かわいく聡明な王子たちにも恵まれた。なにが不幸といえば、姑であるエリザベス女王との折り合いが悪く、夫と不仲だったこと。そして一年間のスケジュールはすべて政府に決められて何ひとつ自由がなかったこと。それが、離婚して、窮屈な英国王室や夫から逃れられ自由に恋愛ができるようになった。ステイタスも国民的人気も変わらずそのままで仕事も選べるようになった。何もかもがそろった。さあそうすると、地球の法則に反するから、ああいう悲劇が起きてしまう。そんなものなのです。

見方を変えれば、シンデレラを羨《うらや》む意地悪なお姉さんたちのほうが実は幸せだということ。一見ハッピーエンドのあの物語も、シンデレラが王子さまと結婚してしまえばどうなるかわからない。彼女は、王室の格式と規則という鳥籠《とりかご》に入れられ、自由を失ってしまうのだから。

そんなことも露知らず、若いみなさんは多くを求めすぎています。恋人や結婚相手に対してもそう。学歴も高くお金持ちで見た目も性格もよい……と条件ばかりあげていく。そんなあなたは何様でいらっしゃいましょう？

洗練美を得るには二十代から修業が始まる

もうひとつ、最近、気になるのは「ありのままの私を受け入れて」という言葉。いったい、今のままのあなたにどれだけの価値があるというのですか？　自分はなにひとつ努力せずに相手にだけ多くを求める、そんなムシのいい話あるでしょうか。

若いお嬢さん方に、こういう愚かなことを言わせる環境も悪い。テレビや雑誌では、やれ巨乳だ、爆乳だなどと本人の中身とはまるで関係ないことで、バカなタレントを褒《ほ》めそやすし、愚かな男たちは、セックスしたい欲望だけで、プレゼントしたり煽《あお》ったりする。本気で言っているわけじゃない。単なる脂肪の塊として、扱われているということに気がつかず、「ありのままの自分が愛されている」と勘違いしてしまう。あなたの人間としての中身なんて本当はどうでもいい。ただ一匹の雌として「やらせてくれ」と言われているようなもので、人間として何も求められていないのに。こんな失礼な話、ありますか？　それをモテていると勘違いして、うぬぼれたまま年をとっていったら、もはや救いはない。

そういう勘違いの結果、始末におえなくなった女優もたくさんいます。中には自分たちの若いころの写真を持ち歩いている老女優までいる。それを周りの人に見せて「こんなにかわいかったんですか」と半ば無理やり言わせて悦に入る。もちろん、いくつになっても褒められたいという女心はわかります。でも、それを相手に強制するのはかけ値なしに見苦しいもの。見せた相手に、実は内心「昔はきれいだったのに、それがこんなふうになっちゃうの」って思われて、余計惨めになるだけなのに。

年をとったらとったで、年相応の、若い娘たちが逆立ちしても敵わないような洗練された美しさがあるのです。だからこそ、後輩たちに、そういうお手本を見せなくちゃ。飾りたければうんと着飾ればいい。でも、それに負けない貫禄や存在感を、年を経た女たちは手に入れていなければいけないのです。無理に若く見せようとか、見当はずれの、かわいさをあざとく演出するのは、悪あがき。若さにしがみついてるだけで、じつに惨め。節分の日の仮装大会の老女のセーラー服みたいなものなのです。

あなた方には、そういう醜悪で愚かな女になってほしくないのです。だから、そのために二十代から修業を始めなければいけません。四十代になってからじゃ、もう手遅れです。そのことをよく胆に銘じておくのじゃよ……。

地獄極楽は胸三寸にあり

『買ってはいけない』なんて本がベストセラーになっていたようだけど、わざわざいまさら教えてもらわなきゃいけないんでしょうねえ。そりゃコンビニのお弁当やジャンクフードばかり食べていたのでは、カルシウムはかの栄養不足になります。カルシウムが足りなくなればイライラします。そして些細なことでキレて他人に不愉快な思いをさせてしまう。けんかもしますし、ことによると人様を殺したくもなります。それくらいのことは本書をお読みになるみなさんならとっくにご承知のはず。

わけのわからないドリンク類や飲料水もだめです。飲み物はグリーンティーがいちばんいい。カテキンが癌予防にもなるし。半世紀前まで今みたいに癌患者が多くなかったのは、きっと皆もっとお茶を飲んでいたからでしょう。どこかのお宅へ行くと「おひとつどうぞ」といって必ずお茶を出されたものです。当時はお茶しかありませんでしたから、一日で十杯から二十杯飲むのはあたりまえでした。変な色のついた飲料水を飲むよりどれだけ体にいいか……。

本物の持つ美しい波動で人は変わる

食べるものはもちろん身につける服、耳から入ってくる音楽。きちんとしたものを少しずつでいいから生活にとり入れてくるようにすれば、それらの持つ本物の美しい波動であなた自身も変わってきます。でも、その中のなにかひとつだけじゃダメ。五感すべてを美しいものにしなくてはあきまへん（笑）。

あえて名前は出しませんけれど、某演歌歌手がベルサーチを着ていると、服本来のイメージもなぜか演歌になってしまうんです。もう半径二十メートル以内、すべてド演歌っ！　それはやはり毎日演歌を歌っている、発想も話題も生活様式すべてが、演歌的生活をしてるから。もちろんそういう暮らしが悪いとは思わない。でも少なくともご本人がイメージしている姿とは乖離《かいり》していますよね。それくらい普段の生活と本人の醸《かも》し出す雰囲気は密接なつながりがあるものなんです。だから美しくなりたいのなら、美しい生活を心がけるべき。うわべだけ変えてもダメ。エルメスやシャネルを身につけても、エルメスやシャネルには見えないで、普段見ているバカ番組やバカカラオケがそこはかとなく漂《ただよ》っているだけ。見えないはずのあなたの理知、教養、人格をふくめた人となりは、あなたを取り囲む空気となって五メートル四方に表れているのですから。

自分で絵を描いても、いいし、古今東西の名画コピーでもいい。美しい絵を家の中に飾っておく。そしてなるべく暗い色の物は家の中から追い出し、キレイな色の物で固めること。そうすると明るい色の波動の持つ力で暗い物が家からなくなって顔色だってよくなります。運もよくなります。

私の好きなイヴ・サンローランのエピソードをご紹介しましょう。以前彼のコレクションでモデルが間違って彼の服にまったくあわない靴を履いてステージから楽屋に戻って来たのを見た途端、彼は「ああ、違う！」といって気絶してしまったんですって。美しくない物を〝許せない！　見たくない〟と全身で拒《こば》むというその神経。そういう繊細さをみなさんも少し養ってみてはいかがでしょう。でも、もしそうなったら、今の世の中、二、三メートル歩くごとに気絶しなければなりませんね。それもたいへんか……？

私たちは、この地球に修業しにきている

私が今いっている美しい生き方というのは、たとえば死後にものすごく影響することだと思うのです。

地球は魔界と天界の境目にあるのです。政官財界や上流社会に多い悪智恵に長けた人たちはきっと魔界から来ているんでしょうね。そして天界から来た連中を魔界に引きずり込もうとします。でもそうやってバランスがとれているのがこの地球。楽あれば苦あり。すごく悪いことがあった後に、ものすごくいいことが起きるようになっている。この地球という星はそういう場所なのです。

そして私たちの開発途中の魂は、あらゆる人種、職業、容姿、性格と、あらゆるパターンの人間の人生を、心を、体験し、修業しなければならないのです。あるときは黒人になったり、白人になったり、あるいは黄色人種になったり。男になったり、女になったり、私のように真ん中になってみたり（笑）。いろいろなタイプの人生を何千何万回と生まれ変わり、死に変わり、輪廻転生を繰り返して体験して生きていかなくちゃいけないのです。そしてそこで苦労して勉強していく。

「私はどうしてこんなに孤独でひどい人生を歩まなくてはいけないのかしら」と思っても、実は、生まれる前にあの世で自分でプログラミングしてそれを選んで生まれてきたのだから、その人はその人生を体験しなきゃいけない義務を持っている。この地球に修業しにきているのだから。だから文句はいえないわけ。

よく人生に疲れたからといって自殺する人がいるけれども、これは言ってみれば人生の職場放棄で人生の中途退学なのです。ですから次に生まれ変わっても、また一からやりなおさなければいけない。辛い思いをして死んだとしても、結局、また同じコースを生まれかわってきて同じことを繰り返さないといけない。だから自殺で死ぬのは痛い苦しい目にあっただけ骨折り損のくたびれ儲け、だからどんなに苦しくても辛くても人生は自然死までがんばったほうがいいということです。

反対に苦労が多い人生でも、前向きにすべてクリアして経験していくと、優しくて厳しくて温かい思いやりある、自信にあふれた人格へ成長していく。人間はその美しい姿、完全なる人格、つまり神と同じ純粋エネルギーに近づくために生まれてきているのです。霊魂とは、原子や電子、中性子、陽子などと同じように、未発見のエネルギー体である素子のひとつだろうといわれています。

たとえば迷っている幽霊や地縛霊《じばくれい》というのはまだ自分に肉体があると思い込んで、錯覚しているわけです。だから痛いとか苦しい、悲しいなどと霊が勝手に思いこんでしまっているだけなんです。でも実際は肉体がなくて素子（霊魂）だけになっているのだから、本当は痛くも苦しくもないのです。霊の存在は自分の思い込み、想念だけなんです。ですから、たとえば「あたしは醜い女だからひがんでやる、妬んでやる、祟《たた》ってやる」と怨霊になっている霊に「あなたはすでに肉体がなく想念だけなんだから自分で醜いと卑下《ひげ》せずに美しいと思ってごらんなさい」といってあげる。そうすると、霊は「あっそうか。私は醜くなく美しかったんだ」と思い直し、安心し、心をいれかえるようになる。そうやって、仏さまのような平和な心になっていく。真理を説いて聞かせれば〝仏のような心に成る〟。これが成仏するということです。

前向きに、純粋に美しく生きるということは……

もうおわかりですね。霊の世界も、この世と結局同じ。体より心の存在が大きいのです。想念が汚れている霊は汚れたままだし、想念が美しく清ければやはり霊も美しい。自分の気持ちが変わると即その気持ちの状態、つまり心象風景がそのまま投影されて、自分の住んでいる世界になるんです。要するに人間は死ぬときの情念や想念がストップモーションになる可能性があり、その心象風景がそのまま住んでいる場所になる。自分が自分の思い込みで、勝手に自分を暗く、苦しめていたりするのも地獄といい、それを自分の発想の転換をはかって、楽しく美しく、明るいことを思い浮かべれば、即、自分が現在いる場所が、美しく明るく楽しい場所に変わるのです。「地獄極楽は胸三寸にあり」というのは、そういうことです。それが霊界のしかけなのです。

あの世ではこの世の権力や地位、肩書なんて何の役にも立ちません。本当に平等なのです。素子の魂が純粋で、美しければ美しいほど、それに準じ比例した高いところにいける。

真っ黒で汚くて、恨みつらみ憎しみで想念が固まり、ストップしたままあの世で暮らすなんて嫌でしょう。だからこそ、私は現世で、ウォーミングアップとしてまず心の優しさ温かさ美しさを、といつも呼びかけているのです。そう、未来永劫《みらいえいごう》、この世でも平和で安らかで美しく生きていくために……。

特別付録

美へ誘う「美輪リスト」

ふと私がツラツラと思いつくままに並べた
美意識の栄養素になるものを
書き出しておきましたので
どうか麗人になるための参考書
またはカンニングペーパーとしてご使用ください。

美女

サイレント期の美女

アラ・ナジモーヴァ

「椿姫」（レイ・C・スモールウッド ’21米）

世紀の美男子ルドルフ・ヴァレンティノとの共演。

「サロメ」（チャールズ・ブライアント ’23米）

クララ・ボウ

「あれ（IT）」（クレアランス・バジャー ’27米）

「つばさ」（ウィリアム・A・ウェルマン ’27米）

トーキー時代の美女

ハリウッド美女

グレタ・ガルボ

「マタ・ハリ」（ジョージ・フィッツモーリス ’31米）

「椿姫」（ジョージ・キューカー ’37米）

「ニノチカ」（エルンスト・ルビッチ ’39米）

マレーネ・ディートリッヒ

「嘆きの天使」（ジョゼフ・フォン・スタンバーグ ’30独）

「モロッコ」（ジョゼフ・フォン・スタンバーグ’30米）
「情婦」（ビリー・ワイルダー’58米）

ヴィヴィアン・リー

「美女ありき」（アレグザンダー・コルダ’41英）
「風と共に去りぬ」（ヴィクター・フレミング’39米）
「欲望という名の電車」（エリア・カザン’51米）
「哀愁」（マーヴィン・ルロイ’40米）
「ローマの哀愁」（ホセ・キンテロ’61米）

リタ・ヘイワース

「ギルダ」（チャールズ・ヴィダー’46米）

エヴァ・ガードナー

「パンドラ」（アルバート・リュウイン’50英）
ラストのスタンドインの〝手〟が絶品。
「ショウ・ボート」（ジョージ・シドニー’51米）
「ヴィナスの接吻」（ウィリアム・A・サイター’48米）フランク・シナトラが夢中になるのもわかる、絶品の美しさ。

ヘディ・ラマール

「サムソンとデリラ」（セシル・B・デミル’50米）デリラ役が絶品、あとはB級。

リンダ・ダーネル

「永遠のアンバー」（オットー・プレミンジャー’47米）

ジョーン・フォンテイン

「レベッカ」（アルフレッド・ヒッチコック’40米）

イングリッド・バーグマン

「サラトガ本線」（サム・ウッド’46米）
「カサブランカ」（マイケル・カーチス’42米）
「凱旋門」（ルイス・マイルストン’48米）

「ガス燈」（ジョージ・キューカー'44米）

エリザベス・テイラー

「若草物語」（マーヴィン・ルロイ'49米）

「陽のあたる場所」（ジョージ・スティーブンス'51米）

「花嫁の父」（ヴィンセント・ミネリ'50米）

オードリー・ヘップバーン

「麗しのサブリナ」（ビリー・ワイルダー'54米）

「ローマの休日」（ウィリアム・ワイラー'53米）

マリリン・モンロー

「ナイアガラ」（ヘンリー・ハサウェイ'53米）

「紳士は金髪がお好き」（ハワード・ホークス'53米）

「お熱いのがお好き」（ビリー・ワイルダー'59米）

キム・ノヴァク

「めまい」（アルフレッド・ヒッチコック'58米）

フランス美女

マリー・ベル

「舞踏会の手帖」（ジュリアン・デュヴィヴィエ'37仏）

「外人部隊」（ジャック・フェデー'34仏）

ミシェル・モルガン

「霧の波止場」（マルセル・カルネ'38仏）

「田園交響楽」（ジャン・ドラノワ'46仏）

アルレッティ

「天井桟敷の人々」（マルセル・カルネ'45仏）

「北ホテル」（マルセル・カルネ'38仏）

「悪魔が夜来る」（マルセル・カルネ'42仏）

男装。

エドウィージュ・フィエール

「双頭の鷲」（ジャン・コクトー'48仏）

「しのび泣き」（ジャン・ドラノワ'45仏）共演者ジャン・ルイ・バロー。

「青い麦」（クロード・オータン・ララ'54仏）

マリア・カザレス

「オルフェ」（ジャン・コクトー'49仏）

「パルムの僧院」（クリスチャン・ジャック'47仏）

「ブローニュの森の貴婦人たち」（ロベール・ブレッソン'45仏）

ダニエル・ダリュー

「不良青年」（ジャン・ボワイエ'36仏）

「赤と黒」（クロード・オータン・ララ'54仏）

「うたかたの戀」（アナトール・リトヴァク'36仏）ハプスブルク家の皇太子と心中した可憐な男爵令嬢役。

アヌーク・エーメ

「火の接吻」（アンドレ・カイヤット'48仏）

「モンパルナスの灯」（ジャック・ベッケル'57仏）

ミシュリーヌ・プレール

「偽れる装い」（ジャック・ベッケル'44仏）ファッションモデル役。

「肉体の悪魔」（クロード・オータン＝ララ'46仏）

ブリジット・バルドー

「素直な悪女」（ロジェ・ヴァディム'56仏）

マルティーヌ・キャロル

「女優ナナ」（クリスチャン・ジャック'54仏）

「ボルジア家の毒薬」（クリスチャン・ジャック'52仏）

ヴィヴィアーヌ・ロマンス

「カルメン」（クリスチャン＝ジャック'43仏）

絶品!! 唯一無比のカルメン、ジャン・マレーとの共演作。クリスチャン=ジャックの演出見事。

イタリア美女

シルヴァーナ・マンガーノ

「にがい米」(ジュゼッペ・ディ・サンティス'48伊)

ソフィア・ローレン

「河の女」(マリオ・ソルダーティ'54伊)

「ふたりの女」(ヴィットリオ・デ・シーカ'61伊)

「ひまわり」(ヴィットリオ・デ・シーカ'69伊)

ジーナ・ロロブリジーダ

「白い国境線」(ルイジ・ザンパ'50伊)

「花咲ける騎士道」(クリスチャン・ジャック'51仏=伊)

「夜ごとの美女」(ルネ・クレール'52仏)

英国美女

ジーン・シモンズ

「大いなる遺産」(デビッド・リーン'46英)

「黒水仙」(マイケル・パウエル/エメリック・プレスバーガー'47英)

ジョーン・コリンズ

「ピラミッド」(ハワード・ホークス'55米)

ドイツ美女

ヒルデガルド・クネフ

「罪ある女」(ウィリー・フォルスト'51独)

「妖花アラウネ」(アルトゥル・マリア・ラーベンアルト'52独)

ツアラー・レアンダー

「南の誘惑」（デトルフ・ジールク'37独）

大女優派（演技派）

ジョーン・クロフォード

「雨」（ルイス・マイルストン'32米）

「ユーモレスク」（ジーン・ネグレスコ'46米）

フランソワーズ・ロゼー

「外人部隊」（ジャック・フェデー'34仏）

「女だけの都」（ジャック・フェデー'35仏）

「ジェニイの家」（マルセル・カルネ'35仏）

「ミモザ館」（ジャック・フェデー'34仏）

バーバラ・スタンウィック

「私は殺される」（アナトール・リトバク'48米）

「群衆」（フランク・キャプラ'41米）

ベティ・デイヴィス

「イヴの総て」（ジョゼフ・L・マンキーウイッツ'50米）

「黒蘭の女」（ウィリアム・ワイラー'38米）

「偽りの花園」（ウィリアム・ワイラー'41米）

グロリア・スワンソン

「サンセット大通り」（ビリー・ワイルダー'50米）

「蜂雀」（シドニー・オルコット'24米）

キャサリン・ヘップバーン

「愛の調べ」（クラレンス・ブラウン'47米）

クララ・シューマン役。

「旅情」（デビッド・リーン'55米）

「冬のライオン」（アンソニー・ハーヴェイ'68英）

ジェニファー・ジョーンズ

「ジェニーの肖像」（ウィリアム・ディター

レ'48米）
「終着駅」（ヴィットリオ・デ・シーカ'53米＝伊）
「白昼の決闘」（キング・ヴィダー'46米）

オリヴィア・デ・ハヴィランド

「女相続人」（ウィリアム・ワイラー'49米）
「蛇の穴」（アナトール・リトヴァク'48米）

シモーヌ・シニョレ

「年上の女」（ジャック・クレイトン'58英）
「嘆きのテレーズ」（マルセル・カルネ'53仏）
「肉体の冠」（ジャック・ベッケル'51仏）

アンナ・マニャーニ

「バラの刺青」（ダニエル・マン'55米）
「噴火山の女」（ウィリアム・ディターレ'50伊）

フローラ・ロブソン

「シーザーとクレオパトラ」（ガブリエル・パスカル'46米）
「死せる恋人に捧ぐる悲歌」（ベイジル・ディアデン'48英）

ロッテ・レーニャ

「ローマの哀愁」（ホセ・キンテロ'61米）

ローレン・バコール

「脱出」（ハワード・ホークス'45米）
「キー・ラーゴ」（ジョン・ヒューストン'48米）

ギャビー・モルレイ

「かりそめの幸福」（マルセル・レルビエ'35仏）

エンターテイナー

ジュディ・ガーランド

「スタア誕生」（ジョージ・キューカー'54米）

「ザッツ・エンタテインメントＰＡＲＴ３」（バド・フリージェン／マイケル・Ｊ・シェリダン'94米）

アン・ミラー

「イースター・パレード」（チャールズ・ウォーターズ'48米）

「踊る大紐育」（ジーン・ケリー／スタンリー・ドーネン'49米）

エリノア・パウエル

「ザッツ・エンタテインメントＰＡＲＴ１」（ジャック・ヘイリーJr.'74米）

モイラ・シアラー

「赤い靴」（マイケル・パウエル／エメリック・プレスバーガー'48英）

「ホフマン物語」（マイケル・パウエル／エメリック・プレスバーガー'51英）

ドリス・デイ

「二人でお茶を」（デビッド・バトラー'50米）

「情熱の狂想曲」（マイケル・カーティス'49米）

シド・チャリシー

「バンド・ワゴン」（ヴィンセント・ミネリ'53米）

「ブリガドーン」（ヴィンセント・ミネリ'54米）

リタ・モレノ

「ウエスト・サイド物語」（ロバート・ワイズ／ジェローム・ロビンス'61米）

ジューン・アリソン

「姉妹と水兵」（リチャード・ソープ'44米）エヴァ・ガードナーも。

エスター・ウィリアムズ

「世紀の女王」（ジョージ・シドニー'44米）

「水着の女王」（エドワード・バゼル'49米）

観ておくべき洋画

「人でなしの女・イニューメン」（マルセル・レルビエ’23仏）近代ファッションの父、ポール・ポワレが衣装デザインを担当。セットがアール・デコで統一され面白く印象的です。

「サロメ」（アラ・ナジモーヴァ主演’23米）あの大昔の時代に頭にピンポン玉をつけミニのボディ・コンシャスを着ているというファッションの新しさは必見です。

「椿姫」（アラ・ナジモーヴァ主演’21米）アール・ヌーヴォーからアール・デコにかけての衣装と装置、小道具が見られますし、世紀の美男、ルドルフ・ヴァレンティノの初主演作品でもあります。

「幻想交響楽」（クリスチャン＝ジャック’43仏）

「天井桟敷の人々」（マルセル・カルネ’45仏）

「風と共に去りぬ」（ヴィクター・フレミング’39米）

「オルフェ」（ジャン・コクトー’50仏）

「美女と野獣」（ジャン・コクトー’46仏）

「家族日誌」（マルチェロ・マストロヤンニ主演、ヴァレリオ・ズルリーニ’62伊）

「市民ケーン」（オーソン・ウェルズ’41米）

「国民の創生」（D・W・グリフィス’15米）

「戦艦ポチョムキン」（セルゲイ・エイゼン

シュテイン'25ソ連）
「不死身の魔王」（セルゲイ・エイゼンシュテイン'44ソ連）
「イワン雷帝（第一部・第二部）」（セルゲイ・エイゼンシュテイン'44～'46ソ連）
「最後の億万長者」（ルネ・クレール'34仏）
「巴里祭」（ルネ・クレール'33仏）
「北ホテル」（マルセル・カルネ'38仏）
「旅路の果て」（ジュリアン・デュヴィヴィエ'39仏）
「石の花」（アレクサンドル・プトゥシコ'46ソ連）
「望郷」（ジュリアン・デュヴィヴィエ'37仏）
「居酒屋」（ルネ・クレマン'56仏）
「シンゴアラ」（クリスチャン＝ジャック'49仏）
「サテリコン」（フェデリコ・フェリーニ'70伊）
「ローマの奇跡」（ルイス・レネシス'89伊）
「バレンチノ」（ケン・ラッセル'77米）アール・デコの美術と衣装をぜひ。
「ウエスト・サイド物語」（ロバート・ワイズ'61米）ミュージカルの最高傑作。
「ザッツ・エンタテインメント（ＰＡＲＴ１、ＰＡＲＴ２、ＰＡＲＴ３）」
ＰＡＲＴ１（ジャック・ヘイリーJr.'74米）
ＰＡＲＴ２（ジーン・ケリー'76米）
ＰＡＲＴ３（バド・フリージェン／マイケル・J・シェリダン'94米）
「ニュー・シネマ・パラダイス」（ジュゼッペ・トルナトーレ'89伊＝仏）
「ショウ・ボート」（ジョージ・シドニー'51米）

テレビ映画では、英国の探偵モノで「ポワロ」シリーズ。音楽、衣装、美術、カメラ、照明がアール・デコの時代の雰囲気をじつによく出しています。

日本映画の美女

日本映画の黄金期を彩《いろど》る美女たち。ふとしたときに見せる表情やしぐさ、上品な言葉づかい。今、日本の女性たちが失いつつある、清く正しい「美」がスクリーンの中には詰まっているのです。さまざまな日本美をもう一度、見直してみてください。美しい言葉のサンプル、生き方のサンプルがそこにあります。

逢初夢子
「隣の八重ちゃん」（島津保次郎'34）

淡島千景
「自由学校」（渋谷実'51）「夫婦善哉」（豊田四郎'55）

入江たか子
「瀧の白糸」（溝口健二'33）「藤十郎の恋」（山本嘉次郎'38）「白鷺」（島津保次郎'41）

乙羽信子
「どぶ」（新藤兼人'54）

香川京子
「山椒太夫」（溝口健二'54）「近松物語」（溝口健二'54）「ひめゆりの塔」（今井正'53）

清川虹子
「女侠一代」（内川清一郎'58）

京マチ子
「痴人の愛」（木村恵吾'49）「偽れる盛装」（吉村公三郎'50）

久我美子
「また逢う日まで」（今井正'50）「挽歌」（五所平之助'57）

栗島すみ子
「流れる」（成瀬巳喜男'56）

木暮実千代
「帰郷」（大庭秀雄'50）「雪夫人絵図」（溝口健二'50）「祇園囃子」（溝口健二'53）

杉村春子
「晩菊」（成瀬巳喜男'54）「足にさわった女」（増村保造'60）

鈴木澄子
「鏡山競艶録」（寿々喜多呂九平'38）

高杉早苗
「朱と緑（前後編）」（島津保次郎'37）

高峰秀子
「カルメン故郷に帰る」（木下恵介'51）「浮雲」（成瀬巳喜男'55）「女が階段を上る時」（成瀬巳喜男'60）

高峰三枝子
「純情二重奏」（佐々木康'39）「真珠夫人（前後編）」（山本嘉次郎'50）

伊達里子
「マダムと女房」（五所平之助'31）

田中絹代
「愛染かつら」（野村浩将'38）「夜の女たち」（溝口健二'48）「西鶴一代女」（溝口健二'52）「雨月物語」（溝口健二'53）「楢山節考」（木下恵介'58）

坪内美子
「浅草の灯」（島津保次郎'37）

轟夕起子

「ハナ子さん」（マキノ正博'43）「武蔵野夫人」（溝口健二'51）

原節子

「安城家の舞踏会」（吉村公三郎'47）「お嬢さん乾杯」（木下恵介'49）「青い山脈（前後編）」（今井正'49）「東京物語」（小津安二郎'53）

日高澄子

「縮図」（新藤兼人'53）

伏見直江

「雪之丞変化（総集編）」（衣笠貞之助'35）

水戸光子

「暖流」（吉村公三郎'39）「王将」（伊藤大輔'48）

宮城千賀子

「歌ふ狸御殿」（木村恵吾'42）

望月優子

「日本の悲劇」（木下恵介'53）「米」（今井正'57）

山口淑子

「暁の脱走」（谷口千吉'50）「支那の夜（前後編）」（伏水修'40）

山田五十鈴

「祇園の姉妹」（溝口健二'36）「歌行燈」（成瀬巳喜男'43）「蜘蛛巣城」（黒澤明'57）

山本富士子

「婦系図・湯島の白梅」（衣笠貞之助'55）「白鷺」（衣笠貞之助'58）

観ておくべき日本映画

日本人の美しさがあらゆる角度から表現されている日本映画の名作です。

「喧嘩鳶」（石田民三'39）**「歌麿をめぐる五人の女」**（溝口健二'46）**「おぼろ駕籠」**（伊藤大輔'51）に出てくる女性たちの髪結い、着付けの美しさは必見です。**「路傍の石」**（田坂具隆'38）**「きけわだつみの声」**（関川秀雄'50）

黒澤明

「酔いどれ天使」（'48）**「羅生門」**（'50）**「七人の侍」**（'54）

木下恵介

「お嬢さん乾杯」（'49）**「二十四の瞳」**（'54）**「野菊の如き君なりき」**（'55）

小津安二郎は**「淑女は何を忘れたか」**（'37）など初期のトーキーがよいでしょう。

昭和四十年代、エノケンと山本嘉次郎監督のコンビによるスラップスティックなミュージカルもぜひ、一度ご覧なさい。昭和モダンがそこにあります。

読むべき本

以下にあげるリストは、美しい言葉で書かれた本の数々です。

すでに本が大好きで日頃から読んでいらっしゃる人は、読み流してください。ただ、この本を手にする人の中には、めったに本を読まないという人もいらっしゃるでしょう。年に何冊、一生に何冊しか読まないという人も、こういう道すじで読んでいけば活字離れにならず、無理なく読む癖がついていきます。

まず、平易で美しい日本語と接することから始めましょう。講談社の絵本「親指姫」「曽我兄弟」「小公女」やキンダーブックなどでひらがなの美しさ、優しさをゆっくりと味わってみてください。

叙情的な絵と文が織り成す世界ものぞいてみましょう。中原淳一《なかはらじゅんいち》の「ひまわり」「それいゆ」は復刻版が出ています。高畠華宵《たかばたけかしょう》、初《はつ》山滋《やましげる》、蕗谷《ふきや》虹児《こうじ》、竹久夢二《たけひさゆめじ》、岩田《いわた》専太郎《せんたろう》、林《はやし》唯一《ただいち》、富永謙太郎《とみながけんたろう》など、当時の少年、少女雑誌挿絵《さしえ》画家たちの描く世界の美しいこと。装飾的なアール・ヌーヴォー、ギリシャ美術、あるいは世紀末の耽美《たんび》派ビアズリーなどまで、あらゆる美を貪欲に吸収しているので格調が違います。古本屋などをのぞいて、彼らの画集や当時の雑誌などを探してみるとよいでしょう。

日本文学入門編①

次に美しい表現やリズムを身につけてみましょう。

竹久夢二、北原白秋《きたはらはくしゅう》、室生《むろう》犀星《さいせい》、佐藤春夫《さとうはるお》、島崎藤村《しまざきとうそん》、若山牧水《わかやまぼくすい》、石川啄木《いしかわたくぼく》、宮澤賢治《みやざわけんじ》などの詩や文章にちりばめられている言葉は美しいものばかりなので、これらに慣れ親しんでいくと、日常の言葉遣いにもおのずと彩《いろど》りが生まれてくるはずです。

現代のものでは寺山修司《てらやましゅうじ》の詩や北杜夫《きたもりお》の「どくとるマンボウ」シリーズなど入りやすく面白いのでおすすめします。

日本文学入門編②

夏目漱石《なつめそうせき》、田山花袋《たやまかたい》、志賀直哉《しがなおや》、川端康成《かわばたやすなり》、谷崎潤一郎《たにざきじゅんいちろう》、岡本《おかもと》かの子、織田作之助《おださくのすけ》、坂口安吾《さかぐちあんご》、福永武彦《ふくながたけひこ》、幸田文《こうだあや》

日本文学入門編③

泉鏡花《いずみきょうか》、芥川龍之介《あくたがわりゅうのすけ》、森鷗外《もりおうがい》、澁澤龍彦《しぶさわたつひこ》、三島由紀夫《みしまゆきお》、森茉莉《もりまり》は一見すると難解ですが、読むほどに奥深く耽美な世界が広がっていく作家です。

現代作家では、赤江瀑《あかえばく》、瀬戸内寂聴《せとうちじゃくちょう》、久世光彦《くぜてるひこ》、なかにし礼などがこの美しさを継承しています。ここまで読みすすんできたら、大古典「源氏物語」に挑戦するのもよいでしょう。

谷崎潤一郎《たにざきじゅんいちろう》、円地文子《えんちふみこ》、瀬戸内寂聴の現代語訳を読んでいくと、原典が織り成す世界も違和感なく、奥深く入っていけます。その他、異色では松岡正剛《まつおかせいごう》や荒俣宏《あらまたひろし》がぜひおすすめです。

外国文学

外国文学入門編①

ハイネ、リルケ、ヴェルレーヌ、ランボー、コクトーの詩集（上田敏《うえだびん》や堀口大學《ほりぐちだいがく》の名訳で読んでみましょう）

外国文学入門編②

エミール・ゾラ、バルザック、モーパッサン、ツルゲーネフ、トルストイなどの古典の名作を読み、翻訳に慣れてきたら、カミュ、カフカなどの不条理文学、さらにはジッド、オスカー・ワイルド、レイモン・ラディゲ、ジャン・ジュネなどのちょっと毒のある耽美的な文学を読みすすめていくとよいでしょう。

名画（絵）

西洋画

　美術史にしたがって観ていくよりも、わかりやすくフォルムが美しいラファエロやボッティチェリなどの鑑賞から始めるほうがしっくりとなじんでいくと思います。ルノワールやマリー・ローランサンなど、親しみやすく美しい色彩のものもよいでしょう。セザンヌ、マネ、モネなどの印象派やフェルメールが描く光の美しさも味わってみてください。

　スーラの点描やクリムト、ラファエル・コラン、マチス、シャガール、ルソーの色彩の豊かさも、モジリアニの静寂美もとても奥深いものです。巨匠中の巨匠、ダ・ヴィンチの絵はじつに複雑で、一筋縄ではいかない美を表現しています。

　ですから、ロートレック、ギュスターブ・モロー、ミュッシャ、ド・レンピッカ、ダリ、ミロ、ピカソ、ブラック、ヴァン・ドンゲン、アングル、ルドン、カラヴァッジオ、ラファエル・コラン、東郷青児《とうごうせいじ》、青木繁《あおきしげる》、黒《くろ》田《だ》清輝《せいき》、和《わ》田《だ》英作《えいさく》、小《こ》磯良平《いそりょうへい》、木下孝則《きのしたたかのり》、安《やす》井《い》曾《そう》太《た》郎《ろう》、高野《こうの》三《み》三《さ》男《お》などの名画によって審《しん》美眼《びがん》を養ったうえでゆっくりと鑑賞することをすすめます。

日本画

西洋にはない日本独自の美を味わいたいなら、安土桃山《あづちももやま》文化の集大成である狩野探幽《かのうたんゆう》や狩野芳崖《ほうがい》の障壁画から始めてみてはいかがでしょう。尾形光琳《おがたこうりん》や尾形乾山《けんざん》、俵屋宗達《たわらやそうたつ》や本《ほん》阿弥光悦《あみこうえつ》の装飾感覚もじつに華麗ですばらしいものです。写実でありながら、そこにえもいわれぬ美が漂《ただよ》う円山応挙《まるやまおうきょ》の写生画、土田麦《つちだばく》僊《せん》、上村松園《うえむらしょうえん》や鏑木清方《かぶらぎきよかた》、北野《きたの》恒富《つねとみ》、島《しま》成《せい》園《えん》、松岡映丘《まつおかえいきゅう》、柿内《かきうち》青葉、鈴木《すずき》茂子《しげこ》の美人画からも多くのエッセンスを感じてほしいのです。そのほか、竹内栖鳳《たけうちせいほう》、川合玉堂《かわいぎょくどう》、川端龍《かわばたりゅう》子《し》、小林古径《こばやしこけい》、池田蕉園《いけだしょうえん》、寺島紫明《てらしましめい》、勝田《かつた》哲《てつ》、中村大三郎《なかむらだいざぶろう》、堂本印象《どうもといんしょう》、梶原緋佐子《かじわらひさこ》、速《はや》水御舟《みぎょしゅう》、また、何度もくどいようですが、近代の叙情画もぜひ観てください。竹久夢二、蕗谷虹児、高畠華宵、中原淳一、初山滋、加《か》藤《とう》まさを、岩田専太郎、富永謙太郎、志村立《しむらたつ》美《み》、林唯一、宇野亜喜良《うのあきら》、横尾《よこお》忠則《ただのり》など、そこにはあなたのまだ見ぬ日本美が描かれています。

観るべき美術館・博物館・建物

目黒雅叙《がじょ》園や白金の東京都庭園美術館、上野弥生美術館、国立博物館、ルイ・イカールの作品を集めた新潟弥彦《やひこ》にあるロマンの泉美術館、箱根富士屋ホテル、奈良ホテル、明治村の移築建造物群。

世界でも、アントニオ・ガウディやフランク・ロイド・ライトやル・コルビュジエまたはマッキントッシュなどの一九三〇年代までのものが建物としては面白く、それ以後の近代建築では内外ともに歴史的価値のある美しい建造物はありません。

ほとんどが手抜きのノッペラボーで使い勝手の悪い愚作ばかりです。

音楽

ビートに満ちあふれた現代という時代ですから、まず、ビートのないこうしたクラシック音楽からのぞいてみてはいかがでしょうか。

疲れたときにホッとして、ロマンティックな気分やメランコリックな気分にひたりたいとき。また、恋人と二人だけで過ごすとき

・フルート奏者のジャン＝ピエール・ランパル

笛の音が癒《いや》してくれます。

・ショパン「ノクターン」「ワルツ集」「練習曲」

ただしテンポの速い曲があるので、それは外したほうがよろしいです。

・リスト「愛の夢」ほか

ゆっくりしたロマンティックな曲です。

・ハチャトゥリャン「スパルタクス」「仮面舞踏会」

リリックなものがよし。まちがっても「剣の舞」はやめたほうがよいでしょう。

・ドビュッシー「亜麻色の髪の乙女」「牧神の午後への前奏曲」「そして月は廃寺に落ち

る」「月の光」

・フォーレ「月の光」「レクイエム」ほか

交響曲

交響曲や協奏曲では、インパクトある第一楽章と、騒々しい第三楽章の間にある、心拍数を抑えたゆったりとした美しいメロディーラインの第二楽章をぜひ聴いてください。イタリア語で「ゆっくりと」あるいは「ゆるやかに」という意味をもつ「アダージョ(ADAGIO)」は、あなたの心を癒すはずです。

・ベートーヴェンの交響曲第六番「田園」の第二楽章

・モーツァルトの交響曲第四一番「ジュピター」の第二楽章

・モーツァルトのピアノ協奏曲第二一番の第二楽章

映画「みじかくも美しく燃え」の主題歌で有名です。

・ショパンのピアノ協奏曲第一番の第二楽章「ラルゲート」

・ラフマニノフのピアノ協奏曲第二番の第二楽章アダージョ

ベルリオーズ、マーラー、ベートーヴェンなどの交響曲は、心身ともに健康なときでないとヘビーです。

ピアノソロ

私が好きなのは、サンソン・フランソアと

イングリット・フジ子・ヘミング、亡くなった田中希代子《たなかきよこ》、ルビンシテイン、コルトーです。

近代音楽や前衛音楽

ムリに聴く必要はありません。むしろじゃまです。

ちょっと気取ったフンイキ、部屋を華《はな》やかにしたいとき

ピアノコンツェルトではラフマニノフ自身の演奏でトスカニーニの指揮が極上です。カラヤンのものは頭でっかちで計算ずくめで、瞑想《めいそう》に一人でひたっている感じで、破綻《はたん》がなくて面白くありません。

弦楽四重奏、五重奏などがよいでしょう。

落ち着いた気分になりたいとき、瞑想にふけりたいとき

チェロのソロ、もしくは伴奏はピアノだけというのがよいでしょう。チェロの魅力は何といっても心をゆさぶる深い響きです。演奏はP・カザルスのものがよいと思います。車のCMにも使われた「夢のあとに」やバッハの「無伴奏チェロ組曲」「アリオーソ」などは絶品です。

和風の部屋にかける曲

しっとりしたいならば新内《しんない》がよいでしょう。

あるいは江戸《えど》小唄《こうた》、端唄《はうた》、俗曲《ぞっきょく》、(長唄《ながうた》はにぎやかすぎ、義太夫《ぎだゆう》は重すぎます)せいぜい清元《きよもと》どまりがよろしいでしょう。

あとは地方民謡、これはその地方の民謡歌手の唄ったものがよいでしょう。横笛や尺八のソロ、お琴も結構ですが、早い曲があるので気をつけてください。

フランス風の部屋にかける曲

シャンソン、しかし一九六〇年以後のものはダメです。一〇年代〜五〇年代前半のものがよいでしょう。

フレール、ダミア、リス・ゴーティ、ティノ・ロッシ、リュシエンヌ・ボワイエ、シュジー・ソリドール、リュシエンヌ・ドリール、アンドレ・クラヴォー、なんといってもエディット・ピアフ、シャルル・アズナブール、小粋なジョルジュ・ゲタリー、ムルージ、イブ・モンタン、シャルル・トレネ、パタシュ。

恋人とのラヴシーン
(ベッドインしてから)

アルゼンチン・タンゴが情熱的でよろしいでしょう。一九五〇年代半ばまでのものがよいです。間違ってもピアソラなんかはやめましょう。あれはタンゴの破壊者ですから、ロマンティックな空気が壊れます。ほかにカルロス・ガルデル、ウーゴ・デル・ガリル、南米のリベルタ・ラマルケ、ランコ・フジサワの初期の円熟期のもの。

ポルトガルのファド

アマリア・ロドリゲスなどの甘く哀しくセンチメンタルな曲。

ジャズ

ベニー・グッドマン、ハリー・ジェームズ、オスカー・ピターソン、カルメン・カバレロ、グレン・ミラー楽団、ライオネル・ハンプトン、デューク・エリントンなどのビッグバンド。

ラテンはザビア・クガート。

歌い手では若いころのビング・クロズビー、ペリー・コモ、ヘレン・メリル、ドリス・デイ、ジュディ・ガーランド、クリス・コナー、リナ・ホーン、フランク・シナトラ、ケイ・スター、パティ・ページ、アニタ・オデイ、サラ・ヴォーン、ニーナ・シモン、メアリ・フォード&レス・ポール、ジョー・スタッフォード

コンチネンタルタンゴ

ヘルベルト・フォン・ゲッツィ（バンド・オーケストラ）

アルフレート・ハウゼ（戦前のものがよく、戦後のものはよくありません）

サム・テイラーのサックスもムーディではあります。
※昭和三〇年代初期に「ベサメムーチョ」を唄った歌手の「ジャンガディロのいかだ」(たしか映画の主題歌だったように思います)というドーナツ盤を探しています。どなたかお持ちでしたらご連絡をいただけると幸いです。

ロック系

ザ・イエロー・モンキーの吉井和哉《よしいかずや》君のバラードとデオダードとビートルズだけです。

日本の流行歌

もし聴けるのであれば、コロムビアやビクターからでている明治・大正・昭和の流行歌。

佐藤千夜子《さとうちやこ》、四家文子《よつやふみこ》、小林千代子《こばやしちよこ》あたりの、ハイカラでモダンな唄。エログロナンセンス(二村定一《ふたむらていいち》、渡辺《わたなべ》はま子の「とんからがっちゃやだめよ」)から、終戦後の「夜のプラットホーム」「バラのルンバ」「湖畔の宿」「青い山脈」などをオリジナルで聴いてみてください。

あとは、私もCDに入れておりますので、そちらを聴いてください。

戦時中の歌は一切聴かなくてよいです。これもやはり一九五〇年代後半以降のものは、いいものがありません。演歌などはもってのほかです。

ただし、ニューポップスでなかにし礼の訳した唄はみな結構です。フォークに入ってからは吉田《よしだ》拓郎《たくろう》の「旅の宿」、喜《き》多条《たじょう》忠《ただし》作詞の「神田川」、中島《なかじま》みゆきの最初のころのアルバム、井上陽水《いのうえようすい》の「氷の世界」、森田《もりた》公一《こういち》とトップギャラン「青春時代」などは聴くに値します。じつは私のいちばん好きな声は水森英《みずもりひで》夫《お》「たった2年と2ヶ月で」という演歌です。これはしびれました。私が今まで聴いた最もセクシーな声だと思います。

童謡

戦後すぐの川田《かわだ》正子《まさこ》・孝子《たかこ》などのオリジナルのものがフンイキがあってよろしいです。

叙情歌集はくれぐれも最近の演歌などの歌い手のものは聴かないほうがよろしい。叙情歌が嫌いになります。小中学生のコーラスが最もよいものです。そのほかは私のＣＤに入っております。

オペラ

まずポピュラーなものから聴きましょう。「椿姫」「カルメン」「ラ・ボエーム」「マダム・バタフライ」「トスカ」「リゴレット」「ルチア」「ラクメ」「ドン・ジョヴァンニ」「フィガロの結婚」「アイーダ」「ばらの騎士」筋もわかりやすくドラマティックで、舞台装置も華やかです。なによりアリアなどの旋律が変化に富み、じつに美しいからです。

古典芸能

歌舞伎

坂東玉三郎《ばんどうたまさぶろう》、片岡仁左衛門《かたおかにざえもん》、市川染五郎《いちかわそめごろう》、市川新之助《いちかわしんのすけ》、尾上菊之助《おのえきくのすけ》、彼らが出てるものを初めに観に行けば、美男美女による姿の美しい舞台から入ってゆくことになり、敷居《しきい》の高さを感じる暇もないでしょう。

舞踊では玉三郎の「道成寺《どうじょうじ》」はぜひごらんなさい。唄の文句、また、曲の旋律ひとつとっても文句なしの名作です。「鷺娘」「鏡獅子」「京鹿子娘道成寺《きょうがのこむすめどうじょうじ》」は素晴らしいものです。

お芝居なら、「籠釣瓶《かごつるべ》花街《さとの》酔醒《よいざめ》」「鏡山《かがみやま》旧錦絵《こきょうのにしきえ》」「白浪五人男」「鳴神」「忍夜恋《しのぶよるこい》曲者《はくせもの》」「紅葉狩」「助六由縁《ゆかりの》江戸桜」「四谷怪談」などはケレン味があり、初めて観ても面白いはずです。

衣装や舞台装置の色彩のバランスも堪能《たんのう》して下さい。鮮やかな空色の「浅葱《あさぎ》」、伊達男《だておとこ》助六《すけろく》のはちまきの色「江戸紫」、定式幕《じょうしきまく》でおなじみの「柿」、深紅の「緋《ひ》」、ライトライムグリーンの「鶸《ひわ》」、若草色の「萌黄《もえぎ》」。そんな日本の色使いを頭にたたきこんでおくと本物の色彩感覚が身につくはずです。

能・狂言

まずわかりやすい狂言から入っていったほうがよいでしょう。三宅右近《みやけうこん》、野村萬斎《のむらまんさい》・万《まん》之丞《のじょう》などがおすすめです。

「釣狐《つりぎつね》」「蚊相撲《かずもう》」「二人袴《ふたりばかま》」「髭櫓《ひげやぐら》」など狂言が楽しめるようになったら能に進みます。

「土蜘蛛」「葵上《あおいのうえ》」「隅田川」「知章《ともあきら》」「道成寺」「天鼓《てんこ》」「羽衣」

東京では渋谷の観世能楽堂（03・３４６９・５２４１）、千駄ケ谷の国立能楽堂（03・３４２３・１３３１）、水道橋の宝生能楽堂（03・３８１１・４８４３）などの劇場で観ることができます。

地唄舞など

故人になられた武原《たけはら》はんさんや吉村雄輝《よしむらゆうき》さんのビデオテープなど手に入る機会があれば、ぜひ、観ておいたほうがよろしいと思います。

ファッション

髪型

たとえば髪型ひとつとっても、なにか新しいスタイルが流行れば、右に倣《なら》え。自分に似合うか似合わないかも考えず、みんな実験に失敗したのかと見紛《みまが》うようなみっともない髪になってしまいますが、傍《はた》から見ていると、ただ汚いばかり。憐《あわ》れでみじめで涙をそそります。

けれども、ひと昔前までは、みんなもっとそれぞれの個性を大切にし、それに応じた髪型や服装を楽しんでいました。大正から昭和にかけての日本髪にも「波のかもめ」「金魚草」「ラジオ巻き」というように耳隠しにさまざまなアレンジがありました。ボブカットやシニオンのほかにも「ひさし曲げ」「二百三高地」「行方不明」などのバリエーションがあって、その時々の気分に応じて、髪の表情を演出していたのです。

服装

現在のファッションは、どこにも新しさが

ありません。ポール・ポワレ、エルテあたりで近代のスタイルが確立し、ココ・シャネル、ランバン、バレンシアガ、クリスチャン・ディオール、ピエール・カルダン、ジバンシィ、イブ・サンローランまでで、あらゆるものが出尽くしたといっていいでしょう。

日本で特筆すべきは、美智子皇后の服を担当していた植田《うえだ》いつ子、三宅《みやけ》一生《いっせい》、やまもと寛斎《かんさい》、コシノ・ジュンコ、高田《たかだ》賢三《けんぞう》です。日本人の美点を知り尽くした彼らの服こそオリジナリティを持ち、外国に行ったときに独自の存在感を示してくれるということは覚えておきましょう。

宝石

宝石は、その美しい輝き故に、美意識がある人ならば男女問わずほしがるし、身につけたがるものです。それはそうなのです。しかし、その美しさの虜《とりこ》になると、値段の高さや大きさばかりにとらわれてしまい、全体的なバランスを欠いてしまいます。

美というものの基本は〝調和〟です。ですから、自分の背丈から割り出した頭の大きさ、肩幅、手足の長さや、髪や肌、目の色などと宝石の相性をまず考えなければいけません。さらに、それをつける時刻、目的、その日の服装、目的地の照明やインテリア、そこに来ている人とのバランスといったものも含めて、多角的な視点から計算して身につけなければいけないのです。

たとえば、背が小さくて肩幅が狭く顔が大きい人が、自らを顧《かえり》みず、大きな宝石をいくつも身につけたとします。その姿はまるで、漬物石をくくりつけられて拷問にあっているカエルのようです。このような滑稽《こっけい》な状況に陥《おちい》らないためにも、宝石ひとつひとつの特徴を理解し、どの美しさが自分を際立たせてくれるのかを計算していくようにしましょう。

真珠

まず真珠から。この宝石はじつは酸にとても弱いのです。若いうちは、汗や脂といった酸性分泌物も多いので、むしろフェイクから始めたほうがよいでしょう。本物とほとんど見分けのつかないものはたくさんありますから、いろいろ試してみましょう。そうやって、愉しんで、枯れて分泌物も出なくなってきた御年頃に、本物を身につければよいのですから（笑）。

　真珠には、白、ピンク、黄色、ブルー、黒、いろいろな色がありますが、どれを選ぶかは好みによって。ただ光の加減と形は疎《おろそ》かにしてはいけません。二、三種類の光しか感じられないもの、いかにも鈍い光のものはよくありません。艶《あで》やかで、光の色彩の色数が多く、その光の中に微妙な表情のあるもの、明るさや角度によって光が玉虫色に変化していくものがよいのです。

　形も大きければ大きいほどよいというわけではありません。真円の球状に限りなく近く、泡粒や傷がなく、巻きの層が厚いものがよいのです。中には、バロックといって歪《ゆが》んだ形のものをよしとするものもありますが、これも形に風情があって粒がそろっていなければ意味はありません。

金・銀

　金や銀と聞くと、ついつい目方で選ぶ人がいますが、資産ではなく、美しさという観点で選ぶのならば、大きさや重さに囚《とら》われていても意味はないのです。作り手の愛情が感じられる繊細な細工のもので、丁寧にムラなく作られたものがよいものです。

鬱血《うつけつ》しやすい人、肌が弱い人、華奢《きやしや》で重さに耐えられない人はプラチナはやめたほうがよいでしょう。せっかく買っても結局はしなくなるので無駄です（笑）。

　金や銀の宝石だと、ついつい飾り立てたくなってしまうけれど、これみよがしにつけるのは美しい行為とはいえません。若い皆さんは、若さそのものがそもそも光り輝く宝石です。ですから、あまりいろいろな宝石類に頼る必要はないのです。あれこれ飾り立てると若さという宝石とダブってしまい、体全体が金切り声でうるさくしゃべり散らしているような感じになるので、注意してください。

ダイヤ

白、青、ピンク、黄、黒、茶とダイヤにもいろいろな色がありますが、美しさの決め手となるのは何よりもまず透明度。どこまでも澄んでいて、にごりまたは泡粒や傷が少ないものを選ぶようにしましょう。ただし、最近精巧なニセモノが出回っていますので、少しくらいキズ気のあるほうが安心できる場合もあります。カットの鋭さも大切です。厳密な左右対称など、バランスのとれたカットを選んでください。

色石

ルビー、サファイア、エメラルドなど色石

は、発色が鮮やかで深いものがよいのです。たとえば、ルビーなどは紫がかっていたり、ピンクがかっているものはよろしくない。〝ハトの血〟（ピジョン・ブラッド）と呼ばれる、どこまでも純粋な赤がいちばん美しいのです。サファイアも藍色に近い黒っぽいものはよくありません。そうかといって、水色に近い薄いものもサファイアらしくありません。いちばん美しいのは、タンザナイトという石にちょっと似ている矢車草《やぐるまそう》（コーン・フラワー）のブルー、少し紫がかった華やかなブルーです。昔、インドのカシミールでとれたものに多く見られましたが、残念ながら今ではたいへん、稀《まれ》なものになってしまいました。

エメラルドはコロンビア、ロシア、ムゾなど産地によって色が変わります。黄色味がかったもの、青味がかったもの、黒味がかったもの。いろいろなグリーンがありますが、ルビーやサファイアと同じように純粋な混じり気ないグリーンで透明度が高く、バランスのとれたカットのものがいちばんです。

しかし、色石は色さえよければ少しくらい透明度が低くても、悪いものではありません。

貴石

アメシスト、人工的な着色によるさまざまな色のトパーズ、トルマリンやシトリン、オニキス、ムーンストーン、トルコ石、アクアマリン、ラピスラズリなど、いろいろな貴石がありますが、これらも色の鮮やかさ、純度の高さ、傷の少なさが命です。

いずれにせよ、宝石を使いこなすのは、その人の人生のボキャブラリーが深く、豊富で重層的になったときなのです。なぜならば、宝石とは地球の何十億年という歴史を現す、とてつもなく大きな存在感を放つものなのですから。それに負けないだけの荘厳な魂とドラマチックな存在感、そういうものを手にした人が身につけてこそ初めて本来の美しさを発揮できるものなのです。目指すべくは〝貴婦人に宝石〟〝天女に宝石〟。ゆめゆめ〝豚に真珠〟にはならないように。

器

ガラス器

アール・ヌーヴォーのエミール・ガレとドーム。そしてアール・デコのルネ・ラリックにとどめをさします。ガラス器はその時代から、一九三五年くらいまでのものがいちばんよいのです。意匠の凝らし方がとにかく半端じゃない。現在もそれに似たものはあるけれど、色やバランスの点で足元にも及びません。分厚くて、ガラス器特有の優雅さ、繊細さに欠けます。ガレやラリックのガラス器にこそ、その美しさは凝縮されているのです。

陶器

洋食器類もガラス器と同じく、アール・ヌーヴォー、アール・デコまでの絵柄やデザインが最も美しいのです。第二次世界大戦以降のものは、美意識が破壊されたため、観るべきものがありません。

美がたしかに存在した時代の、完璧な洋食器をまず鑑賞したうえで、清水《きよみず》、有田《ありた》、伊万里《いまり》などの和食器にも目を向け、やがては信《しが》楽《らき》、織部《おりべ》などの渋いものに入っていくと、美の系譜のもと、たしかな美意識と鑑賞眼が養われてゆくのです。明治、大正、昭和初期のものがいちばん美しい九谷《くたに》は、その後でいかがでしょうか。

香水

美しい香りについて

見えないおしゃれ、香りこそ、それぞれの個性をもっとも印象的に現すものです。

しかし、情けないことに今やブランドごとの個性などなくなってしまいました。ただ、ブランド名が違うというだけで、昔と違って中味はどこの香りもほとんど同じです。

昔は、ドラマチックに香りが変化するコティーの「アンプレヴュー」やエキゾチックでノーブルなゲランの「ミツコ」や「夜間飛行」、非日常を演出してくれるダナの「タブー」、クリスチャン・ディオールの「ミス・ディオール」「ディオラマ」「ディオリッシモ」やシャネルの「N°5」など、それぞれ名前が違うようにキャラ系、ジャ香系、フローラル系と香りにも全く際立った特徴がありました。それだけ使用する人たちが個性的だったということでしょう。また、香水をつくる側も「他社とは違う」ということにたいへんな誇りを持っていたのです。

右を向いても左を向いても同じ香りになってしまったのは、数年前、ある会社がフローラル系の香水を爆発的にヒットさせてからです。二匹目のどじょうを狙《ねら》えとばかり、どの社もプライドを捨て、同じような香りに統一してしまったのです。そして、挙げ句の果てには、本場パリで香りに携《たずさ》わる人々まで消費者に迎合してしまい、個性よりも売れることを重視して、生産に励むようになりました。

私は、これまでタブーをメインに使っていましたが、もはやこれも日本では発売中止になってしまいました。買い置きしていたものがなくなったら、どうしようか悩んでいるところです。

◎リストは以下の資料を参考にいたしました。

映画人名辞典（キネマ旬報社）
ぴあシネマクラブ
新潮社世界美術辞典
標準音楽辞典（音楽之友社）
演劇百科大辞典
日本流行歌史
ほか

美の声

十九世紀前半までは、世の中には美の貯金というものがありました。

アール・ヌーヴォーやアール・デコの時代は、巷に美しいものが溢《あふ》れ、見ていて心が豊かになるような無駄な良さ、必要ムダというものがあったのです。

だから、それで食いつないでいった。

ところが、戦争によりすべて使い果たし、多くの人が心の寄る辺を失ってしまいました。

本来なら、そこで失われし美意識の補充を始めなければいけなかった。

なのに、あろうことか、戦後日本人は空になった通帳にいきなり数字だけを入れ始めた。

その結果どうなったか。

数字が正義になってしまったのです。

テレビの視聴率もＣＤの売り上げも数字さえとれれば内容なんてどうでもいい。

週刊誌も読むに堪えない悪口雑言を書いたものだけが、売れてしまう。

ファッションだってプレタポルテが始まって以来、美しさよりも多量に売ることしか考えなくなった。

もはやそこに情報が入り込む隙間すらありません。

そんな世の中に生きていてもちっとも楽しくないでしょう？

人生はバラ色どころか、ドブねずみ色になってしまう。

凶悪な事件は増え、家族のつながりも薄いものとなり、あなたがたの顔からも美しい微笑が消えてしまう。

こんな悪しき状況と、そろそろ本気で訣別してみる必要があるのではないでしょうか。

美を取り戻す方法はいたって簡単です。

空になった預金通帳に美意識の預金をすればいい。

もう一度昔の預金通帳を出し、十九世紀後半から二十世紀初頭までの残高をゆっくりと見直してみるのです。

そうやってあらゆる文化、文学、音楽、演劇、舞踏、美術、建築、インテリア、ファッション、ありとあらゆるものをアール・ヌーヴォー、アール・デコの時代につなげていけば、どれだけ日々の生活が潤うことでしょう。

もしもお金がなかったら、不安で生きていけないでしょう。

それと同じ。

心だって、美意識という確固たる預金がなければ、安定できずイライラしたり、落ち込んだり、人を攻撃したり、傷つけたりしてしまう。

ハードとしてのお金だけでは心はひからびてしまうのです。

心を豊かにしたいのなら、このソフトのお金、すなわち美意識を蓄えていかなければ。
金持ち喧嘩せずっていうでしょう。
美の金持ちになれば、心も満たされ、豊かになれるはずです。
ただ、それを知識として知っているだけじゃ何にもならない。
実際に手元に引き寄せて、生活の中に活用させていかなくては。
その手引書として、みなさんに本書を使ってもらえれば、私はとても幸せです。

二〇〇〇年三月　美輪明宏

本書は『ＶＯＣＥ』（講談社）一九九八年五月号～二〇〇〇年五月号に
連載した「天声美語」を加筆訂正し、書き下ろしを加えたものです。

美輪明宏
（みわ・あきひろ）

一九三五年、長崎市生まれ。国立音大付属高校中退。十七歳でプロ歌手としてデビューし、一九六六年「ヨイトマケの唄」が大ヒット。妖艶な美貌で爆発的な人気を呼ぶ。

一九六七年、劇団天井桟敷旗揚げ公演「青森県のせむし男」「毛皮のマリー」（寺山修司 作）、一九六八年「黒蜥蜴」（三島由紀夫 作）など、多くの話題作に主演。以後、ライブ・演劇・コンサート・テレビ・ラジオ・講演活動などで幅広く活躍中。

一九九三、九四、九七年には「黒蜥蜴」を再演、一九九四、九六年には「毛皮のマリー」を再演し、話題になる。一九九七年秋、十三年ぶりの「双頭の鷲」再演で、読売演劇大賞優秀賞を受ける。

主な著書に、『紫の履歴書』『ほほえみの首飾り』（以上、水書坊）、『人生ノート』（PARCO出版）。

天声美語《てんせいびご》

二〇〇〇年 四 月二十五日 第一刷発行
二〇〇一年 三 月 六 日 第十刷発行

著者——美輪《みわ》明宏《あきひろ》
装幀——川島進（スタジオ・ギブ）

発行者——野間佐和子　**発行所**——株式会社講談社
東京都文京区音羽二丁目一二―二一　郵便番号一一二―八〇〇一
電話　編集〇三―五三九五―三五三〇　販売〇三―五三九五―三六二二　製作〇三―五三九五―三六一五
印刷所——大日本印刷株式会社　**製本所**——大口製本印刷株式会社
落丁本・乱丁本は小社書籍製作部あてにお送りください。
送料小社負担にてお取り替えします。
なお、この本についてのお問い合わせは
生活文化第三出版部あてにお願いいたします。
ISBN4-06-210181-5（生活文化三）
定価はカバーに表示してあります。